場所、それでもなお

凡例

一、本書は、ジョルジュ・ディディ゠ユベルマンが執筆した三つのテクストの翻訳である。原典は、以下のとおりである。

«Le lieu malgré tout», *Phasmes, essais sur l'apparition*, Minuit, Paris, 1998, pp. 228-242.

Écorces, Minuit, Paris, 2011.

Sortir du noir, Minuit, Paris, 2015.

一、書物、雑誌、新聞、映画の題名は『　』、新聞や雑誌に掲載された論文の題名は「　」で示した。

一、原文でイタリック体の場合は傍点で示し、大文字で始まる単語は〈　〉で示した。〔　〕は、訳者による注記を示している。［　］は、原著者による注記である。フランス語以外の単語がイタリック体で表記されている場合は、原則として、訳語を傍点なしで示した後、原語を（　）に入れて併記した。あるいは、原語を表記した後、傍点なしの訳語を（　）に入れて併記した場合や、原語のみを訳語なしで表記した場合もある。また、「特務班」を意味する「*Sonderkommando*」のように頻出する単語に関しては、初回のみ原語の併記を行い、二回目からは省略した。

一、原注は傍注として算用数字で示し、訳注は後注として漢数字で示して、当該テクストの末尾に収めた。

一、翻訳文中の引用文は、すべて拙訳である。既訳が存在する場合はそれを参照して、邦訳書の情報を明記した。ご高訳を参照させていただいた邦訳者の方々にお礼を申し上げる。

目次

場所、それでもなお

映画史は、あらゆる可能な場所で満ちている。作り出され、作り直され、再構成され、あるいは姿を変えた場所が、それぞれの映画に忘れがたい徴を刻み込み、揺るぎなき空間を記憶に授けている。それを場所の魔法と呼んでみたい。『イントレランス』におけるバビロニアの巨大な壁、『カリガリ博士』の傾いた屋根、『メトロポリス』の地下、『キング・コング』の摩天楼、『上海から来た女』の鏡の迷宮、『イワン雷帝』の息苦しい宮殿、あるいはさらに『二〇〇一年宇宙の旅』の黒い巨石のことを思い浮かべてみよう……。いわゆる「自然のセット」――『北北西に進路を取れ』の巨大な像や『フェリーニのローマ』で人々が歩き回るローマ――でさえ、偉大な映画においては、映画化された場所のあの魅惑的な性質を帯びている。それらの場所は、魔法のようになり、可能なもののあらゆる広がりに開かれている。つまり、想像的であると呼ばれるものがもつ力、見た目は際限がなく、玉虫色で、溢れんばかりの力へと開かれているのだ。この意味で映画は、永遠の祝祭、可能な空間の永続する饗宴のようなものをわれわれに与えてくれるだろう。

しかし私は、場所が問題となるなら――そしてさらに他のものが問題となるなら――、忘れられない他のジャンル、よりいっそう担うに重きジャンルについてまた語らずにはいられない。まさにそのジャンルによって、今から約二〇年前に、一人の男が一本の映画を作り始めざるを得なくなったのであり、その映画は、あの劇的で映画的なきらめくゲームの規則全体に対する拒絶、あるいはその深刻な不可能性に基づいていたのである。彼は、「セット」とその魔力——すなわち、要するに作り話によって形成された場所——を拒絶していたのだが、それは正確に言って、ストローブにはできたような美学的な選択によってではなく、むしろ彼の目的に内在する倫理的な強制、[1]彼が引き受けざるを得なかった真実に内在する強制に従ってのことであった。まったく常識的に考えるなら、いわば当然のように、おそらく彼は、自分が引き受けざるを得なかったこの真実のために、映画ではないものを作ることもできただろう。さらに正確に言えば、彼は映画監督を職業としてはいなかった。しかし、ロベール・アンテルム——彼は、けっして作家を職業としたことはなかった——にとって、ある日、書くことが不可欠な最後の手段となったのと少し似ていて、映画は、彼にとって不可欠な最後の手段となったのである。[2]したがって、この男にとって映画は、一つの責務——饗宴ではなく——であると同時に最後の手段であり、いくつかの現実的だが不可能な場所を視覚的に認めさせる不可欠な方法であった。それらの場所は、扱うことも、背景に変えることも人間的に不可能な、倫理的に不可能な場所である。

それらの場所は収容所、死の収容所だ。だが、どのような仕方で——究極の仕方で——収容所は、われわれにとって「現場」となるのだろうか。場所についてのいかなる考え、いかなる視覚性を、収容所はわれわれに強いるのだろうか。多くの問いのなかでもそのような問いにこそ、クロード・ランズマンは、自分の映画『ショア』の間中ずっと答えなければならなかった。その映画的な回答は見事であり、そのジャンルにおいて絶対に乗り越えられないものであり続けている。では、これらの場所——破壊の場所、それ自体が戦後に全般的に破壊された破壊の場所——についてなにをすればいいのだろうか、そこから映画的になにを作り出せばいいのだろうか。この無国籍映画の作業が続いた一一年のあいだ、頻繁に提起された問いは次のようなものであった。場所に戻ってなんになろう。ランズマンがシンシナティまで質問をしに行ったパウラ・ビレン、アウシュヴィッツからの生存者は、彼にこう言った。

でも、私はなにを見ることになるのでしょうか。
どうやってそれと対峙したらいいのでしょうか。
あそこに戻るなんて、あそこを訪れるなんて、どうしてできるでしょうか。[3]

1 しかし、すぐにお気づきになるように、あらゆる正当な強制は一つの選択であり、あらゆる公正な美学的選択は倫理的な規則（道徳という意味ではない）に従っているのである。

2 R. Antelme, *L'Espèce humaine*, Paris, Gallimard, 1957（ロベール・アンテルム『人類』宇京頼三訳、未來社、一九九三年）.『リーニュ』誌（一九九四年、第二一号、八七〜二〇二頁）においてこの重要な書物に捧げられた特集を参照。

そしてこの女性は、またこうも語った。彼女の祖父母が埋葬されたウッチの墓地そのものが壊され、徹底的に破壊されようとしていると。だから、彼女が知っていた戦前の故人たちがまだ「場所をもてた」その場で、彼らはまもなく場所をもてなくなると。この言葉を撮影しながら、ランズマンはモンタージュによって、ピエティラ夫人による意味深長で不意を打つような報告とそれを近づける。この夫人はアウシュヴィッツの市民であり、自分の村にあるユダヤ人墓地がなぜ「閉鎖される」のかを説明してくれる。「あそこにはもう埋葬しなくなったのよ」[4]。それでは、なぜ場所へ戻るのか。もはやそこにはなにも見るべきものがないなら、そのような場所は、映画のなかでわれわれになにを「語る」ことができるのだろうか。一九七八年に一歩を踏み出した——旅に出た——ランズマンは、ポーランドを、そして収容所の地理全体を「典型的な想像的なものの場所」[5]としてまずは感じていた。彼の探索は、場所に戻るあの子供たちの探索にいくぶんか似ている。なぜならその子たちは、自分たちが生まれたあそこを絶対に見たいと望んでいるのだが、たとえそのあそこがもはや存在せず、変貌して、高速道路やスーパーマーケットなどに変わっていたとしても、見たいと望んでいるのだ。しかし、この映画監督の探索は、もちろん別種のものだ。ランズマンが場所に戻ったのは、数百万の自分の同類が、彼らの同類である他者たちによって破壊されたあそこを、絶対に見たい——そして見つめさせたい——からであった。

さて、このそれでもなおの帰還、もはやなにもなく、もはやなにも見るべきものがないにもかかわらずなされるこの帰還、撮影され、撮影をするこの帰還《ルトゥール》、あるいは最後の手段《ルクール》は、私がこれからそれでもなおの場所と名付けるなにかの暴力に、われわれを到達させてくれたのではないか。たとえ、あるときランズマン自身が、そのすべてを名付けるのに「非‐場所」という表現しか見いだせなかったとしてもそうなのだ。[6] なぜ、あれらの破壊の場所は、「それでもなおの場所」、典型的な場所、絶対的に場所なのだろうか。なぜならランズマンは、それらを撮影――詳細に分析しなければならないような、妥協を知らない規則にしたがって――しながら、そこに恐ろしい一貫性を見いだしたからだ。その一貫性は、彼が始めに考えていたあの「典型的な想像的なもの」をはるかに越えていくものだ。それは、破壊され、変貌しても、それでも動かなかったものの一貫性である。「ショックを感じたのは、伝説になった名前――ベヴジェツ、ソビボル、ヘウムノ、トレブリンカ、などなど――に明確な地理的現実、そしてまさに地形的な現実を与えられたからだけではありません。なにも動かなかったこと

3 C. Lanzmann, *Shoah*, Paris, Fayard, 1985, p.27〔クロード・ランズマン『ショアー』高橋武智訳、作品社、一九九五年、五四～五五頁〕.

4 *Ibid*, p.29〔同書、五八頁〕.

5 *Id.*, «J'ai enquêté en Pologne» (1978), *Au sujet de Shoah, le film de Claude Lanzmann*, Paris, Belin, 1990, p. 212.

6 *Id.*, «Les non-lieux de la mémoire» (1986), *ibid.*, p. 280-292.

に気づいたのも、とりわけショックだったのです……」[7]

　重要な点は、ランズマンが、恐れずにまさにそれを撮影したことにある。つまり、なにも動かなかったことを撮影したのだ。重要な点は、この一貫性、この逆説を目に見えるようにして、その影響でこの逆説が直接に、持続的にわれわれに関わる《ルギャルド》ようにするために、正確な形式を見いだしたことにある。破壊された場所は、彼の映画においてそれでもなお、それらの場所が破壊されているにもかかわらず、破壊する役割の破壊しえない記憶を保っていたのだ。それらの場所は、歴史によって永遠にその破壊の場所となったのであり、この映画によって、永遠にその破壊の場所であり続けるのである。鉄道の線路と同様に、旅人にトレブリンカ到着を告げる表示板は、今でもあそこにある。トレブリンカは、今でもあそこにあるのだ。そしてそれは、破壊が今でもあそこにあることを意味していて、あるいはむしろ――それが映画のなせる業なのだが――場所が、一見したところまったく「外にある」ものとしてしか現れないにもかかわらず、破壊がここにあること、永遠にここに、われわれに触れるほど、われわれのもっとも奥底でわれわれに関わる《ルギャルド》ほど近くにあることを意味しているのである。

　それゆえに、ランズマンの映画が場所に命ずる禁欲は、まったく想像的でも隠喩的でも観念的でもない。[8]かつてプラトンが『ティマイオス』で試みたのとは異なっていて、探究されているのは場所の本質ではないのである――いかにしてこの哲学者が、「純化された」場所を、最後にはなにか夢の現れのようなものに変えたのかを、われわれは覚えている。「場所そのものは、感覚をまったく伴わない一種の混合的な推論によらなければ知覚できない。それは、ほとんど信じがたいものなのだ。確かに、まさに場所を、われわれは夢のなかでのように見いだすのである」……[9]。ところが、ここで探究されているのは、まさにそれとは正反対なものである。場所は「純化」される必要はない。なぜなら単刀直入に言って、歴史がすでに場所を変貌させるか「徹底的に破壊する」務めをすでに果たしていたからである。場所は、「混合的な推論」において与えられることはなく、一種の思いがけない明証性において与えられる。その明証性は、感覚を排除するどころか、隔たりと同時に近さの感覚として、奇異なものと——さらに耐えがたいことだが——親密なものが混ざり合った感覚として、まさに感覚を強要するのである。要するにこの場所は、もはや少しも「想像的」でも夢のようでもない。なぜならこの場所は、ある衝突を示す、つねに特異で（それはけっして一般化できない）つねに具現する（それはけっして鎮められない）資料として、まざまざと現れるからだ。その衝突とは、破壊が行われた過去と、

7 *Id.*, «J'ai enquêté en Pologne», *ibid.*, p. 213. 同様に、*id.*, «Le lieu et la parole» (1985), *ibid.*, p. 299〔クロード・ランズマン「場処と言葉」下澤和義訳、『現代思想』一九九五年七月号、八七頁〕も参照。

8 *Id.*, «Les non-lieux de la mémoire», *ibid.*, p. 287.「私が作ったのは観念的な映画ではありません。大いなる問いも、イデオロギー的な答えも形而上学的な答えもないのです。これは地理学者の映画、地形学者の映画です」。

9 プラトン『ティマイオス』52b〔『プラトン全集一二——ティマイオス、クリティアス』種山恭子ほか訳、岩波書店、一九七五年、八四頁〕.

その破壊そのものが変貌しながらも「動かずにいた」現在の衝突である。もはやそこには誰も、あるいはほとんど誰もいないし、もはやそこにはなにも、あるいはほとんどなにもない、と人々は思うのだが、しかしこの映画は、目立たない残骸のなかに、どれほどまですべてがここに、われわれの前に残っているのかを、われわれに見せてくれるのである。ランズマンの功績は、このその前を異論の余地なく、視覚的に、リズミカルに構築できたことにあるのだ。

場所の沈黙

「私は、狂ったように石たちを撮影しました」とランズマンはどこかで語っている。[10] どうしてこの言葉が、彼の映画の観客に奇妙に聞こえないことがあろうか。彼らは、多くの言葉、多くの物語、多くの顔によって感動して、上映会場から出てきたのだから。この言葉を、『ショア』が一挙に直面した根本的な問題の観点から、おそらくわれわれは理解しなければならないのだ。この映画においては、根本的な回想を生み出すこと、つまり各人にとって、すでに用意された記憶を思い出すのとは正反対なものを生み出すことが重要であった。まさに、この破壊からの生存者たち――生き残った犠牲者、さらには加害者たち――のことを理解させる以前に、彼らに語らせることが重要であった。しかも、カメラの目の前で言葉を生じさせることが、石たちに語らせる賭け――それは、とてつもないが必要な暴力であり、考察による暴力である――とほとんど等しくなるほどの的確さで語らせることが重要であった。誰もが、この映画においては、映画そのものの定言的命令によって言葉を語ることを強いられている。その発言は、それが行われるたびに、裂け目――奇跡、徴候、言い違い、崩壊、排除――に似ている。なぜなら、この映画においては誰もが、生存者として、そしてそのたびに特異な理由によって、自分を狂人であると、あるいは石であると感じていたからである。[11]苦悩によって狂っていたからであり、あるいは石が自分のいる川に対して自己を閉ざすように、自分自身の歴史に身を閉ざしていたからである。

したがってランズマンは、石たちを開こうとしたのであり、そのためにこそ映画はそこにあったのである。しかし、まさにそのためには、場所に、場所の沈黙に立ち返らなければならず、場所が真実の言葉を打ち明けるように、この沈黙の視覚性を映画的に構築しなければならなかった。たとえば、

10 C. Lanzmann, «Le lieu et la parole», *Au sujet de Shoah, op. cit.*, p.299〔ランズマン「場処と言葉」前掲書、八七頁〕.

11 たとえばそれは、映画の冒頭でモルデハイ・ポドフレブニクがたたえる「石の微笑」とでも名付けられるものである。それは、生存者による衝撃的な微笑だ（「心のすべてが死に絶えました、でもやはり人間なので……」〔ランズマン『ショアー』前掲書、三八頁〕）。トレブリンカにいたSSの伍長（*SS Unterscharführer*）であるフランツ・ズーホメルは、それとは別種の石である。彼は、人々が「ジャガイモのように」倒れていくのを見ていたのだ。

シモン・スレブルニクの場合がそうであった。彼は、ヘウムノから生還した二人のうちの一人であり、われわれは彼とともに映画のなかに入るのである。ランズマンは、この問題をはっきりと説明していた。始めにスレブルニクが語ることができたのは無であり、それは混乱、狂気、語ることの不能性、石の沈黙にほかならなかった。「まず、彼らに語らせるのが困難でした。彼らが語るのを拒んだからではありません。何人かの人は狂気に陥っていて、なにも伝達できない状態です。ですが、彼らはあまりにも限界状態の体験を生き抜いたので、その体験を伝えることができなかったのです。私が初めてスレブルニク、つまりヘウムノの生存者（彼は当時一三歳で、非常に若い人の一人でした）に会ったとき、彼が私に語った物語はとてつもなく混乱していたので、私はなにも理解できませんでした。彼は、あまりにも恐怖のなかで生き抜いたため、押しつぶされていました。だから私は、手探りで進めたのです。それらの場所に一人で赴いてみて、私は物事を組み合わせなければならないと気づきました。知ることと見ることが必要で、見ることと知ることが必要なのです。解きほぐせない状態で。［……］だからこそ、場所の問題は重要なのです[12]」。

この映画監督は、普通に明瞭に語られる物語を記録できなかったため、次のことを理解したのである。場所の問い——その場所は、言葉が問う地点、その発話の条件として理解された場所であると同時に、撮影された対話において、つねに再び、つねにより明確に問われるべき問いとして、つまり、あらゆる言表の中心要素として理解された場所である——、この問いは、この映画がまず担わなければばならず、不可能になるまで構築して展開しなければならない問いであった。この巨大な映画的構築物の全体を貫く要請、論理、美学を理解し始めるには、『ショア』の最初の数分を思い出せば十分である。

思い出してみよう、まず一つの書かれた名が現れる。それは映画の題名、この『ショア』という名、この馴染みのない翻訳されない言葉であり、同じショットでそれに添えられた銘句は、ただ一つのことだけを語っている——それが不滅の名であることを。なぜなら、人間の破壊はわれわれのなかで不滅だからである。[13]書かれた名は沈黙していて、クレジットタイトルも沈黙して、その直後に続くテクストも沈黙している。それは繰り広げられる物語であり、「ポーランドで、毒ガスによってユダヤ人が最初に殺戮された地点であった」ヘウムノと名付けられた場所の感情なき物語である。「この場所にたどり着いた四〇万人の男性、女性、子供たちのうち」、そうして沈黙したテクストはさらに続けて語る、「生存者は二人であった」。その一人はシモン・スレブルニクであり、彼の物語がわれわれに

12 C. Lanzmann, «Le lieu et la parole», *Au sujet de Shoah*, *op. cit.*, p. 294〔ランズマン「場処と言葉」前掲書、八三頁〕.

13 「私は彼らに不滅の名を与えよう」（『イザヤ書』五六章、五節）。不滅なものと破壊については、M. Blanchot, «L'indestructible», dans *L'Entretien infini*, Paris, Gallimard, 1969, p. 180-200〔モーリス・ブランショ「破壊できないもの」『終わりなき対話II——限界-体験』湯浅博雄ほか訳、筑摩書房、二〇一七年、八一～一〇六頁〕を参照。

簡潔に紹介される。彼の父親は、ウッチのゲットーで彼の目の前で撃ち殺された。彼の母親は、ヘウムノのトラックのなかで窒息死した。そして一三歳の子供であった彼は、収容所の「整備部門」に徴用されたが、他の人々と同様に死を約束されていた。しかし、彼の声、無垢な妙なる声のおかげで彼が「他の人々よりも長く死を免れた」奇妙な運命を、この物語はわれわれに教えてくれる。「週に何度も、ＳＳ（親衛隊）の家畜小屋のウサギに餌を与えなければならなくなると、シモン・スレブルニクは、見張り番に監視されながら、平底の小舟に乗ってナレフ川を村境まで、ウマヤゴシの草地のほうへ遡っていた。彼は、ポーランドの民謡を歌い、そのお返しに見張り番は、聞き古されたプロシア軍歌を彼に教えていた。ヘウムノでは誰もが彼を知っていた」。ソビエト軍が着く直前、一九四五年一月に、シモン・スレブルニクは、他の「労働ユダヤ人」と同様にうなじに弾丸を撃たれて処刑された。しかし、「弾丸は生命中枢に命中しなかった」ので、彼は生き延びたのである。[14]

したがってまさに沈黙のうちに、この歴史の恐ろしい断片は、最後には東洋のおとぎ話が語る奇跡の不思議さを思わせながら、われわれに示されたのである。ランズマンは、スレブルニクにこの物語を語ることを求めなかった（どんなドキュメンタリー作家でもそれを求めただろう）。もちろんこの物語はわれわれに示されるのだが、しかしスレブルニクのなかでは、スレブルニクにおいては、少年時代の沈黙した触れてはならない石のようなものであり続けるのだ。ランズマンが望んだのはただ一つのことだが、それは根本的なことである。彼は、スレブルニクが語るのではなく、再び来ることだけを望んだのである。彼とともに場所に再び来ること、まずはあの川に来ることだけを望んでいた。あの川で彼はかつて歌を歌っていたのだが、今や、人類史の一断片にもなったあのシェヘラザードの歌を、彼は思い出して永遠に伝え続けるのである――記憶の映画のために。したがって、映画の最初のイメージは、寓意と真実のあいだ、過去と現在のあいだで、川を滑る平底の小舟で静かに（始めは気づかないほど静かに）歌う男のイメージとなるだろう。映画の最初のイメージは遠ざかる歌のイメージだ。その歌は、空間においてと同様に時間において遠ざかり、カメラから遠ざかるが、水の上を滑りながらわれわれに近づき、その間にポーランド語の声――ヘウムノの農夫――が、それを覚えていると語るのである。

この場面に続いて、われわれはこの場所の外れにじかにやって来る。まず映るのは閉ざされた顔、シモン・スレブルニクの顔であり、彼は内気そうで、あまりにも精彩がなく、いくぶんか咳払いをしながら、彼自身を破壊したこの崩壊した風景のなかでどこを見れば良いのかも分からず、森の外れを歩いている。彼は立ち止まり、さらに見つめ、つづいてドイツ語で――これらの言葉を分かち合うにはもっとも辛い選択だ――最初の言葉を口にする。この映画の全体において、破壊の現実と交わされる一種の終わりなき対話になるものの最初の言葉を。

14　C. Lanzmann, *Shoah, op. cit.*, p. 15-17〔ランズマン『ショアー』前掲書、二九～三三頁〕.

見分けるのは難しいですが、ここでした。

ここで人々を焼いていたのです。

多くの人々がここで焼かれました。

そうです、この場所です（*Ja, das ist das Platz*）。[15]

どのような場所であろうか（図1）。それは開かれた空間、完全に空っぽで、すでに草で覆われた土台の列が痕跡をとどめる空間であり、カメラはそこをゆっくりとしたパノラミックショットで見渡していく。この場所の光景に重なりながら、スレブルニクの声が語り続ける。それについてさらに語ることの不可能性のように、ひとつひとつの文句がいまや響き渡るにもかかわらず。

誰も、ここから生きては出られなかったのです。[16]

つまり、これが『ショア』の場所、今日のわれわれにとってのショアの場所である。そこで行われるのは、その不動の残骸におけるこの「空虚」の必然的な探索、その無数の運命におけるこの「誰も」の必然的な探索、その永遠の教訓におけるこの「けっして……ない」の必然的な探索である。ランズマンは、この探索を行うために、彼自身が言っているように、「一人で、それらの場所に戻らなければならなかった。続いて彼は、生存者たち——彼はいたるところから探し出してきた——に、彼らが受けた試練が求める唯一の試練、その試練が伝達されるという試練を要求しながら、それらの場所に戻らなければならなかった。一つの場所を「そうです、この場所です（*Ja, das ist das Platz*）」と名指すことになろうともである。それゆえにランズマンは、この収容所、多くの人々を消滅させた後で消滅した収容所があった開かれた領域、けっして動くことのなかった領域にシモンと一緒に行ったのである。それから彼は、シモンをその場所で一人にして、カメラを遠ざけ、声が、悲しげで驚愕した声、すぐ近くで聞こえるほとんど内面的な声が、あの事実を語るにまかせたのだ。今日の沈黙（目に見える田舎の「静寂」）は、昨日の沈黙（死者たちのイメージ化できない「静寂」）と釣り合っているということを。

ここにいるなんて信じられません。
いいえ、そんなことは信じられません。
いつもこんなふうに静かでした、ここは。いつも。

15 *Ibid.*, p. 18（同書、三四〜三五頁）.
16 *Ibid.*, p. 18（同書、三五頁）.

毎日二〇〇〇人を、ユダヤ人を焼いていたときも、
同じように静かでした。
誰も大声をあげませんでした。誰もが自分の仕事をしていたのです。
ひっそりとしていました。穏やかでした。今のように。[17]

これが『ショア』の場所である。その沈黙は、証人なき出来事を見えるようにすることをあきらめて、沈黙を担う証人たちとだけ対話を始めるのであり、[18]この提示された沈黙——そして同様にモンタージュされた、つまり形式化され、構築された沈黙——は、われわれを見つめて関係を結ぶ《ルギャルデ》力、そしていわばわれわれに核心を「語る」力を、まさに場所

図 1：クロード・ランズマン『ショア』1985 年。映画の場面。シモン・スレブルニクは、ヘウムノの収容所跡地で言う、「ここにいるなんて信じられません」。

に授けるのである。だからこそこの沈黙は、この映画において、誰にとってもこれほど担うに重きものなのだ（カメラの前にいる人々と同様に後ろにいる人々にとって、スクリーンに現れる人々と同様に、映写される自分の同類を前にして映画館にいる人々にとって）。それは、この沈黙がイメージ化できないもので満ちているからである。この沈黙のために、この映画は、言葉たちが絶えず喚起するあの恐ろしい重みを、執拗に、文字通りに、視覚的に構築したのである。そうして喚起されるのは、破壊された身体たち、つまり「下に置かれて」押しつぶされてぼろぼろに崩れ、「川に流されて消えてゆき」、積み降ろし場《ランプ》に「積み上げられ」、物のように「倒れ」、紫色の結晶によって凝集状態になり、変質して、灰にされ、玄武岩の断崖のような塊にされ、などといった身体である。[19]『ショア』において、顔と場所に表れる

17 *Ibid.*, p. 18〔同書、三五〜三六頁〕.

18 Cf. S. Felman, «À l'âge du témoignage : *Shoah* de Claude Lanzmann» (1988-1989), *Au sujet de Shoah*, *op. cit.*, p. 55-145.

19 C. Lanzmann, *Shoah*, *op. cit.*, p. 24-27, 66-69, 71-72, 139-140, etc.〔ランズマン『ショアー』前掲書、四七〜二七、一三一〜一三九、一四一〜一四五、二七九〜二八九頁〕〔「積み降ろし場」と訳した単語は「rampe」である。この単語は、ドイツ語では「貨物の積み降ろし場」「貨物専用ホーム」を意味する。収容所で移送用の列車が到着する場所を指していた。フランス語の「rampe」にはそのような意味はないが、ディディ＝ユベルマンは収容所用語として、ドイツ語の意味でこの用語を用いている。また、「紫色の結晶」は、毒薬であるチクロンBの結晶を指している。〕

撮影された沈黙は、身体の破壊を含有していて、同時にそれを伝え、そして守っているといえるだろう。したがって、この沈黙はその破壊を再び閉じ込めるのだが、同時に——なぜなら『ショア』は知の映画であり、ジャーナリスティックな好奇心の映画ではなく、合意に基づくドラマ化の映画ではなおさらないのだから——この破壊を説明して、広げて解説して、衝撃的であると同様に非常に緻密な形式で、この破壊を開かれたものとして示すのである。その形式とはなんであろうか。ここで私が言いたいのは、その独特な映画的性質である。「普通の仕方で」物語を語ることの不可能性に訴えるその映画的特質、現実に死が生じた場所の逆説——すべてが破壊されたが、なにも動かなかった——に視覚的に、リズム的に訴えるその映画的特質である。

場所の現在

これが『ショア』の場所、その反響の際限なき戯れ（なぜならそれぞれの特異な場所は、いかに閉ざされていようとも、他のあらゆる場所の記憶を呼び寄せるからである）、その際限なき逆説、際限なき残酷さであり、それは、映画がたゆまず繰り広げる問い、物語、イメージのいたるところで明るみに出されているのだ。たとえばそこには、あのソビボルの森の「魅力」があるが、あるポーランド人が語るように、そこでは「あいかわらず狩りが行われている」[20]。何千人もの人間が死に瀕する収容所（*camp*）と、他の人々が土地を耕し続けている畑（*champ*）――なぜならそうしなければならず、そしてまたなんにでも「人は慣れる」[21]からである――の境界がある。そしてランズマンが放つ、根強く耐えがたい必要な問いがある。彼の問いが向けられるのは、収容所の規模と境界、トラックとガス室の大きさ、更衣室の狭さ、それ自体ができるだけ厳密に数値化された破壊に要する正確な面積、トレブリンカの「選別場」、アウシュヴィッツの「積み降ろし場《ランプ》」、死に導くカムフラージュされた「チューブと呼ばれた通路」の地形と砂の種類、鉄道輸送の運営、あるいは死の工場に対する工業界による協力関係――クルップ、シーメンス――の運営である。[22]

　さらにそこには、破壊の証人や役人が多かれ少なかれ思わず漏らすあの場所の残酷さがある。たとえば、ランズマンがあるポーランド人に再現させた状況がもたらす身振り――喉に指をあてる身振り。たとえば、場所の記憶によって同様にもたらされるあれらの表現。その記憶は、それらの場所を生みだした理由の記憶そのものよりも容易く呼び起こされ、述べられるのだ。「ドイツ人たちが建設して

20　*Ibid.*, p. 21〔同書、四二頁〕. そして彼は続けて言う。「あらゆる種類の動物がたくさんいます。〔……〕ここではその頃、人間狩りしかしていませんでした」。

21　*Ibid.*, p. 36-37〔同書、七二～七四頁〕.

22　*Ibid.*, p. 43, 49-51, 53-62, 76, 92, 124, 126-127, 137, 147-151, 163-166〔同書、八六～八八、九八～一〇四、一〇五～一二四、一五一～一五二、一八〇～一八一、二四八～二五〇、二五二～二五六、二七五～二七七、二九六～三〇五、三二九～三三六頁〕.

いるものは、人間のためのものではない、とわれわれには分かりました」。あるいは、フランツ・ズホーメルが口にする言葉。「数キロメートル先まで臭いました。［……］いたるところです。風しだいでした」。あるいはさらに、ワルシャワのゲットーでナチ司令官の補佐官であったフランツ・グラッスラーが口にする言葉。「山歩きのほうがよく覚えています」[23]。

これらの残酷さもまた、動かなかった。ヘウムノの空っぽな場所のように、これらの残酷さはすべて残り続け、あれらの言葉のなかに、検閲され、忘却への意志に閉じこもっている言葉のなかに、それでもあの土台が並ぶ列のように顔を覗かせるのである。しかし、忘れがたい場所の名だけでも、ランズマンの問いに対する答えにおいて、この破壊全体の、この名付けられないもの全体の思いがけぬ比喩表現《フィギュール》のようなものを生み出すには十分である。確かに、収容所そのものの管理において、死が名付けえぬものであったことが知られている。そこでは、人々がしていたことを口にするのが禁じられていて、それでもそれを語るために、局地的な比喩表現、「置き換え」がまさに用いられていた。虐殺領域の区域は、マイダネク収容所において、ドイツ人によって *Rosengarten* あるいは *Rosenfeld*（「バラの庭園」、「バラの野原」）と名付けられたことが知られている。そこには明らかに一輪の花も咲かなかったのだが、しかしそこで死んだ人々が、ときには〈バラ（*Rosen*）〉と呼ばれていたのである[24]。ランズマンの映画は、場所を巡るこれらのあらゆる逆説的な循環、あらゆる残酷さを調べ上げている。そうしてわれわれは、ゲットーが燃えているあいだに、ワルシャワの映画館が開いていたことを知るのである。[25] そしてピエティラ夫人、アウシュヴィッツの住民は、彼女なりにこの「置き換え」の逆説を説明してくれる。

——アウシュヴィッツのユダヤ人になにが起こったのですか。

「彼らは追い出されて、そして再定住させられましたが、それがどこかは知りません」。

——何年のことです。

「一九四〇年に始まりました。というのは、私は一九四〇年にここに住み始めたからです。このアパルトマンもユダヤ人のものでした」。

——ですが、われわれが入手した情報によれば、アウシュヴィッツのユダヤ人が「再定住」させられたのは、これがその公式用語でしたからそう言っておきますが、ここから遠くないところ、高地シレジアのベンジンとスソノヴィエツでした。

23 *Ibid.*, p. 68, 80, 196〔同書、一三六、一五九、三九三頁〕.

24 R. Hilberg, *La Destruction des Juifs d'Europe* (1985), trad. M.-F. Paloméra et A. Charpentier, Paris, Fayard, 1988 (éd. «Folio-Histoire», 1991), p. 762-763〔ラウル・ヒルバーグ『ヨーロッパ・ユダヤ人の絶滅』望田幸男ほか訳、下巻、柏書房、一九九七年、一五九頁〕.

25 C. Lanzmann, *Shoah*, *op. cit.*, p. 218〔ランズマン『ショアー』前掲書、四三九頁〕.

「そうです。両方ともユダヤ人の町でしたから、スソノヴィエツとベンジンも」。

――それで、奥さんは、その後でアウシュヴィッツのユダヤ人に起こったことをご存じですか。

「それから、彼らは収容所で死んだと、全員死んだと思います」。

――つまり、彼らはアウシュヴィッツに戻ってきたのですね。

「そうです。

ここには、あらゆる種類の人々がいました、
世界のあらゆるところから来た人が。

ここに来た人々、ここに連れてこられた人々が。

あらゆるユダヤ人がここに来ました。

死ぬために[26]」。


ランズマン本人が「地理学者の映画、地形学者の映画」と呼ぶこの映画が、いかなる点で場所を、同時にその目的の比喩的形象《フィギュール》、対象、そして「問題」にできたのかを、こうしてわれわれは理解するのだ。それは比喩的形象である。なぜなら場所は、しばしば婉曲表現を形成していて、記号によっては言表できない真実が、その婉曲表現を通じて徴候的に現れるからである。たとえそれが、ただ森の人気《ひとけ》のない空き地を写し出すパノラミックショットにおいてであろうとも。そしてスレブルニクは、

適切に語ることができないこと——それは、どのように自分の仲間たちが燃えていたのかを物語ることだ——を「ここでした」といぶかしげに認めながら、不意に、局所的に指し示すのである（そして彼の婉曲表現が、単なる婉曲表現ではないこともまた理解されるのだ）。そしてそれは対象である。なぜなら場所は、この映画における問いの一つ、そして本質的な行為の一つとなるからであり、この映画が、生き残った顔たちと同時に絶えず問いかける対象となるからである。しかしそれは、この映画の問題でもあるのだ。なぜなら、この映画が簡潔に切り開く視覚的な領域——つねに、あれらの絶望的なまでに空虚なパノラミックショットにおいて、あるいはスピルバーグ的であろうと、または『カポ』の移動撮影《トラヴェリング》[27]であろうと、いかなる操作にも似ることがないほど緩やかな移動撮影において——、この開かれた視覚的領域（*champ*）そのものは、収容所（*camps*）というあの想像できないもの（そしてとりわけ、「再構成」できないもの）をめぐって現れる境界を、ただひたすら描き出しているのだ。したがって、ランズマンの映画における「領域《シャン》」は、トレブリンカにおけるポーランドの野原《シャン》とは正反対

26 *Ibid.*, p. 31-32〔同書、六二～六三頁〕.

27 Cf. S. Daney, « Le travelling de *Kapo* », dans *Persévérance*, Paris, POL, 1994, p. 13-39.〔セルジュ・ダネー「『カポ』のトラヴェリング」『不屈の精神』梅本洋一訳、フィルムアート社、一九九六年、一七～五三頁。『カポ』（一九六〇年）はジッロ・ポンテコルヴォ監督の映画であり、邦題は『ゼロ地帯』である。また、「カポ」は、強制収容所の囚人のなかから選ばれた監視員である。〕

なものである。その境界は、四〇年の歳月を隔てて構築されたものではあるが、証言するのをあきらめさせる境界ではない。その境界によってこそ、いま問いかけられて撮影される一つの場所が、われわれを生存者たちの顔に近づけて最悪なものと対面させて、場所をもって起こった出来事と対面させることができるのである。『ショア』における場所への注目、場所の働きは、おそらくランズマンにとって、「恐怖を正視する」[28]唯一可能な方法、唯一可能な形態にほかならなかった。

ショアをめぐるこの「ドキュメンタリー」にアーカイヴ映像がないのは、やはり破壊の場所が、先ほど言及した弁証法的緊張のなかで、ランズマンによって常に考察されていたからでもある。それは、「すべてが破壊された」（それではどうすれば、それらの過去のイメージに接近することができるのか）、しかし「なにも動かなかった」（どこで、それらの場所がこれほどわれわれに近づくのかを、見て理解することは重要ではないだろうか）という弁証法的緊張である。それゆえにこそ『ショア』は、ヴァルター・ベンヤミンが芸術作品全般に対して表明した重大な要請に、厳密に答えていると思われる。つまり、芸術作品そのものが、弁証法的イメージにおいて構成されるのであり、すなわち芸術作品は、〈かつて〉を神話化することなく、そして〈いま〉に安住することなく、〈いま〉と〈かつて〉の衝突を生み出すのである。

過去が現在を照らし出す、あるいは現在が過去を照らし出すと言うべきではない。逆に、一つのイメージとは、閃光のなかで〈かつて〉が〈いま〉と出会い、星座的な状況を生み出す場なのである。別の言い方をするなら、イメージとは静止状態の弁証法である。なぜなら、現在の過去に対する関係が純粋に時間的であるのに対して、〈かつて〉と〈いま〉の関係は弁証法的だからである。後者の関係は、時間的な性質ではなく、形象的（*bildlich*）な性質をもっている。弁証法的イメージだけが、真に歴史的なイメージ、すなわちアルカイックではないイメージである。読解されるイメージ——つまり、認識が可能になるこの〈いま〉におけるイメージ——は、あらゆる読解の根底にある批判的（危機的）で危険な瞬間の徴を最高度に帯びているのである。[29]

したがって、この映画——それは、あきらかに形象的な性質をもっている——は、「純然たる現在の映画」[30]となる弁証法的な賭けに応じていたのだが、しかしその唯一の目的は、その「批判的（危機的）で危険な瞬間」を展開することであり、その瞬間こそが、この映画を「真に歴史的なイメージ」の総

28 C. Lanzmann, «Hier ist kein Warum» (1988), *Au sujet de Shoah, op. cit.*, p. 279.

29 W. Benjamin, *Paris, Capitale du XIXe siècle. Le Livre des passages*, éd. R. Tiedemann, trad. J. Lacoste, Paris, Le Cerf, 1989, p. 479-480（ヴァルター・ベンヤミン『パサージュ論』(三)、今村仁司ほか訳、岩波文庫、二〇二一年、二一一〜二一二頁）.

30 C. Lanzmann, «Le lieu et la parole», *Au sujet de Shoah, op. cit.*, p. 297（ランズマン「場処と言葉」前掲書、八五頁）.

体、すなわち「認識が可能になる」作品にしたのである。ピエール・ヴィダル＝ナケが、この「現実のフィクション」[31]に「記憶の作動」を見いだした点は重要である。その「記憶の作動」は、マルセル・プルーストが小説形式で行った決断に等しい決断を、歴史的な知そのものに対して行うのだ[32]。さて、この「プルースト的な」決断は、場所へ帰る時間が可能にする真実の展開のなかに完全に含まれている。この決断は完全に、スレブルニクが「ここでした」と語るときの彼の立場のなかにある。この「でした」は、収容所における恐ろしい〈かつて〉を忘れることをわれわれに禁じ、現在は未来に対してしか弁明する必要がない、と考えることを禁じるのだ。そし「ここ」は、収容所のあの〈かつて〉を神話化することや神聖化することをわれわれに禁じる。そんな神話化や神聖化をしてしまえば、その〈かつて〉を遠ざけて、なんらかの仕方で厄介払いをすることになってしまうだろう。これが『ショア』の弁証法的イメージ、その〈いま〉の要請である。

ホロコーストを扱う作品を制作するときに犯される最悪の犯罪、道徳的であると同時に芸術的な最悪の犯罪は、ホロコーストを過去とみなすことである。ホロコーストは、伝説であるか現前しているかのどちらかであって、いかなる場合も記憶の次元には属していない。ホロコーストを扱う映画は、反神話、すなわちホロコーストの現在に関する調査でしかありえない。あるいは少なくとも、ある過去に関する調査であるとすれば、その過去の傷跡は、場所と意識にまだあまりにも生々しく鮮明に刻み込まれているため、幻覚的な非時間性において見えるようになるのである。[33]

おそらく、『ショア』という反神話は、イメージによるわれわれの一般的な饗宴の歴史と比べて、別の形でより恐ろしい〈歴史〉と対峙しなければならなかったため、映画の歴史にはまず無関心であった。しかし、イメージと言葉でできた九時間において、この対峙の形態は、映画の流れそのものをその意識において、すなわちその歴史において変えずにはいなかったのである。

（一九九五年）

31　*Ibid.*, p. 301〔同書、八九頁〕.

32　P. Vidal-Naquet, « L'épreuve de l'historien : réflexions d'un généraliste » (1988), *Au sujet de Shoah, op. cit.*, p. 208.「失われた時と見いだされた過去のあいだに、芸術作品があるのだ。そして『ショア』が歴史家に受けさせる試練は、歴史家が学者であると同時に芸術家でなければならないという義務であり、その義務なしには、彼が追い求めているあの真実の一部分を、取り返しのつかないかたちで失うのである」。*Id.*, *Les Juifs, la mémoire et le présent*, *II*, Paris, La Découverte, 1991, p. 221 も参照。「記憶を作動させなければならず、要するにプルーストが小説のためにしたことを歴史のためにしなければならないのだ。それは困難なことだが、しかし『ショア』は、それが不可能ではないことを示したのである……」。

33　C. Lanzmann, « De l'Holocauste à *Holocauste* ou comment s'en débarrasser » (1979), *Au sujet de Shoah, op. cit.*, p. 316.

樹皮

複数の人体が、それぞれに自分の人べらし役を探している滞在地。探しても無駄になるほど広大である。しかし、いかなる逃亡も無駄になるくらいには十分に狭い。［……］そのとき全員が動かなくなる。彼らの滞在はおそらくもうすぐ終わる。そして数秒後にはすべてが再び始まる。探し求めている目へのあの光の影響だ。もはや探すことをやめて地面を見つめる目、あるいは誰もいるはずのない遠くの天井を見上げる目への影響だ。

サミュエル・ベケット『人べらし役』(一)

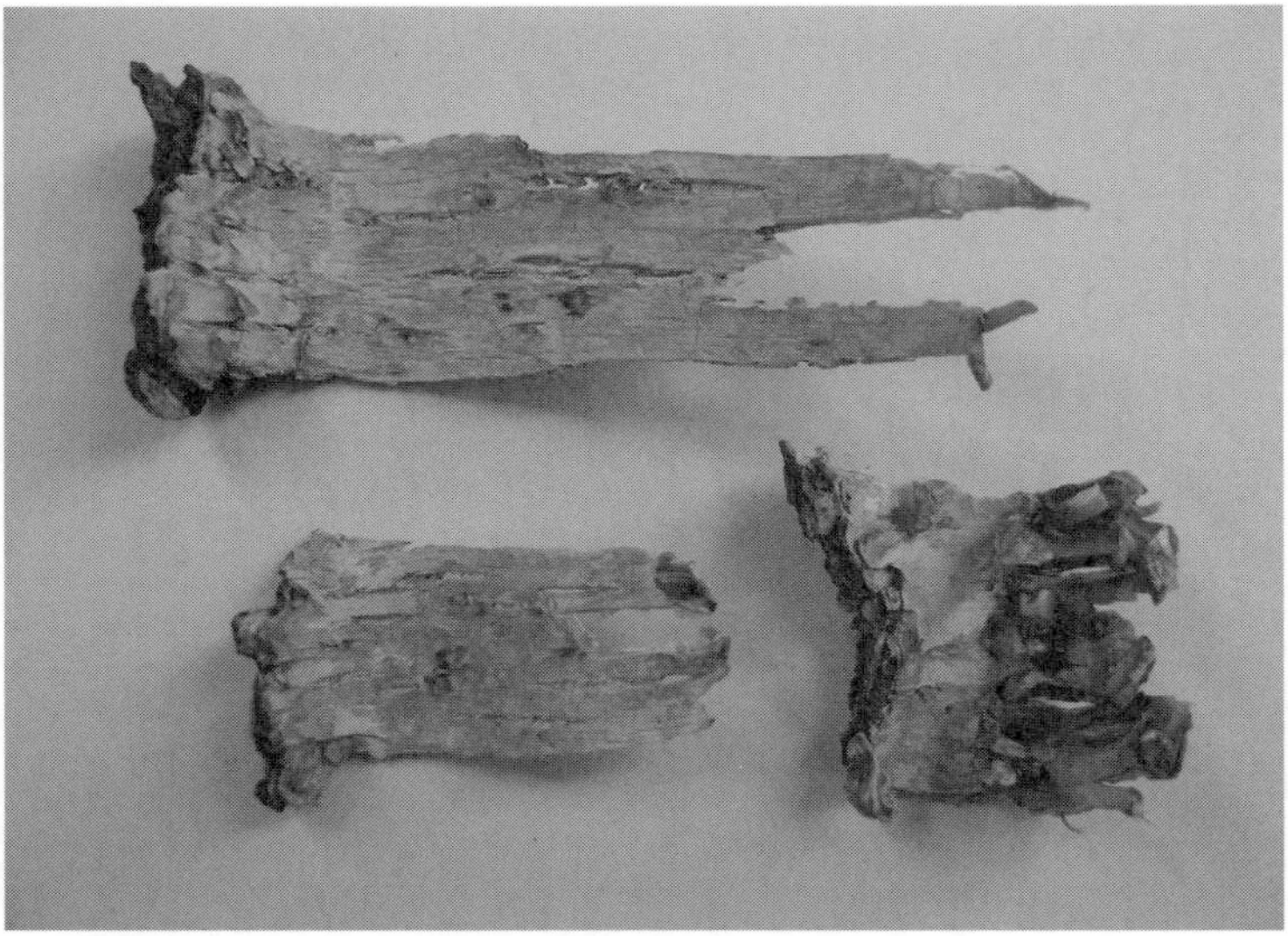

私は、三つの小さな樹皮の切れ端を一枚の紙に置いた。私は見つめた。見つめることで、けっして書かれたことがないなにかを、おそらく読めるようになると考えて見つめた。私は、三つの小さな樹皮の断片を三つの文字のように、どんなアルファベットにも先立つ記述行為の文字のように見つめた。あるいはたぶん、書くべき手紙の冒頭部のように。だが、それは誰に宛てた手紙なのか。そして、白い紙の上に、まさに私の書き言葉が向かう方向に、それらを思わず置いたことに気づく。つまり、それぞれの「文字」が左から始まっている。そこは、私が木の幹に爪を突きたてて、その樹皮を剥いだ場所だ。つづいてその文字は、不幸な水の流れ、断ち切られた道のように右へ広がっていく。この筋がついた広がり、あまりにも早く引き裂かれた樹皮の組織が。

これらは、数週間前にポーランドで、一本の木から引き剝がされた三つの断片である。そして、三つの時間の断片だ。私の時間そのものが、断片でできている。つまり、記憶の切れ端、私が解読しようとしているあの書かれなかったもの。そして現在の切れ端、それはそこに、白い紙の上、私の目の前にある。そして欲望の切れ端、書くべき手紙、だが誰に宛ててであろうか。

三つの断片、その表面は灰色で、ほとんど白い。すでに年老いている。樺《かば》の木の特徴だ。この表面は、燃えた本の残りかすのように、渦をまいてほつれたようになっている。反対側では、表面はまだ——私が書いているときには——肉のようにバラ色だ。それは、しっかりと幹に密着していた。そして、私の爪が嚙みつくのに抵抗した。木々もまた木肌から離れようとしない。私が想像するに、時間が経てば、これらの三つの樹皮の断片は両側とも灰色に、ほとんど白くなるだろう。私はこれらを取っておくのだろうか、しまい込むのだろうか、そして忘れるのだろうか。もしそうなら、私のどの郵便封筒に入れるのか。本棚のどの棚に置くのか。私の子供が、私の死後にこの残りかすをたまたま見つけるとしたら、彼はなにを考えるのだろうか。

ビルケナウの樺。それらは、その場所がもつ名前の由来になった木々そのものである――「樺」は *Birken* といわれ、「樺の林」は *Birkenwald* といわれる――。そしてその場所を、周知のようにアウシュヴィッツ強制収容所の指揮官たちは、なによりもヨーロッパのユダヤ人を絶滅させるのに使おうとしたのである。ビルケナウ（*Birkenau*）という単語の語尾 *au* は、まさに樺が生える草地を指している。つまりこれは、場所それ自体を指す単語なのだ。しかし、これはまた――すでに――苦痛そのものを指す単語でもあるだろう。この事実について一緒に話していた友人が、私にその事を指摘してくれた。つまり、ドイツ語の「*au !*」という叫び声は、フランス語の「*aïe !*」やスペイン語の「*ay !*」と同じように、苦痛を表すもっとも自然な印にあたるのだ。それは深い、そしてしばしば恐ろしい音楽、われわれの強迫観念を重々しく帯びた言葉が奏でる音楽である。ポーランド語では、ブジェジンカ（*Brzezinka*）と呼ばれる。

樺は、貧しい土地、荒涼とした、あるいはケイ質の土地に典型的な木々である。それらは「先駆的植物」と呼ばれている。なぜなら、しばしば最初の木々の植生を形作り、そこから森が、人里離れた荒れ地に広がり始めるからである。それらは非常にロマンチックな木々であり、たとえばロシア文学では、その木陰で無数の愛の物語、無数の詩的な哀歌がくり広げられている。そしてビルケナウの樺――それは、まさに私が写真に撮ったものであり、樺の寿命は、温暖な国々では三〇年以上はもたないが、ここポーランドの大地では百年以上まで持ちこたえるのである――の木陰では、無数の惨劇の喧噪が繰り広げられた。その喧噪を立証しているのは、特務班（*Sonderkommando*）員たちが灰のなかに埋めた、半ばは消え去ったいくつかの手書き文書だけである。彼らは、死体の処理を任され、自分自身もまた死へと定められたユダヤ人の囚人であった。

私は、六月の晴れた日中に、ビルケナウで樺のあいだを歩いた。空は重々しかった。暑い日で、自然はすっかり盛りを迎えていた。つまり自然は、無垢で、うごめき続け、生命の働きに夢中になっていた。そしてミツバチの群れが、木々のまわりで狂ったように飛び回る。樺の名は、いくつものスラブ語で春の訪れと関係している。その名は、木々のなかで再び循環し始める樹液を連想させるのだ。ロシアでは、六月始めに「緑の週間」を祝うが、これは国民的な木である樺の多産性を讃える週間だ。そして樺は、ケルト暦における最初の木でもある。この木は、英知を象徴しているといわれる。

あの光は、探し求めていた私の目にどんな影響をもたらしたのか。もはや探すことをやめて地面を見つめた私の目、木々の遠い頂を見上げた私の目に、どんな影響をもたらしたのだろうか。

古代、そして中世において、樺の樹皮は記述行為や図像の支持材として利用された。白く塗られてドクロのしるしがある木の板が、この場所を訪れる者を迎え入れる。そこで目立つのは、林、レンガ、セメント、有刺鉄線である。一九四五年以来——この警告が、もはやなんの緊急事態も意味しなくなってから——、白と黒のペンキは、樺の樹皮のようにぱらぱらとはげ落ちていった。だが、それはまだきちんと読むことができて、それを無効にした時間を一緒に読むことができる。もともとあった何本かの釘がなくなったため、最近、標示板を現代のプラスねじで留めなければならなかった。

ある日曜の朝、とても早くに、まだ入場が自由な時間に、私はアウシュヴィッツ＝ビルケナウの複合施設に到着した——「自由な」とは、考えてみればなんと奇妙な形容詞であろうかと思うが、これは、瞬間毎にわれわれの生に意味を授けている形容詞であり、あまりにもあからさまな文字で読むときには、たとえば例の扉に錬鉄で「働けば自由になる（*Arbeit macht frei*）」と書かれたのを読むときには、信じてはならないだろう——もっと正確に言うなら、まだガイドの管轄下で見学をしなくてもよい時間帯に。金属棒の回転ドア、まさに地下鉄のものと同じドアはまだ開いていた。数百個あるヘッドフォンは、まだ陳列棚にかけられている。「障害者用」通路はまだ閉まっている。国語別の標示板——ポーランド語（*Polski*）、ドイツ語（*Deutsch*）、スロバキア語（*Slovensky*）……——はまだ棚にしまわれている。映画（*Kino*）のホールはまだ空っぽであった。

ここかしこに他の標示板がある。回転ドアの後ろには、壁に緑色の小さな矢印があった。それは、進むべき方向から逸れないように、という命令を意味する矢印であり、樺の葉のような緑、あるいはこの通路が「自由に」通れることを示す緑である。これらの標示板は、世の中にとてもたくさんあるような、いたるところにあるような、人の通行を管理するための標示板だ。閃光のような赤で消されたVorsicht（「注意！」）という単語をまだ読むことができるし、それに続いてHochspannung-Lebensgefahr、つまり「高電圧」と「命の危険」（もちろんそれは、死の危険を示そうとしている）という単語が読める。しかし今や、このVorsicht（注意）という単語は、別の響きをもつように私には思える。つまり、むしろ眼差し（*Sicht*）を空間の「前」（*vor*）へ、時間の「以前」（*vor*）へ、さらにはわれわれが見ているものの原因へ（*vor Hunger sterben*、つまり「飢えで死ぬこと」という表現におけるように）向けることへの誘いとして響くのだ。その原因、あるいは「本源的事実」（*Ursache*〔原因〕）の効力を、収容所の「事実」に関していつまでも探求しなければならないのである。

他の標示板も、まだいくぶんかあちこちに現れている。それらはいわゆる記念碑であり、そこでは黒地のうえに白で書かれたテクスト——ポーランド語、英語、ヘブライ語の三言語で——が浮かび上がっている。あるいはもっと月並みな標識、「進入禁止」的なとても平俗な形式の標識がある。つまり、静粛にしてください。水着で歩き回らないように。喫煙をしないように。飲食をしないように（ハンバーガーの横にコーラの大きなグラスがあって、赤線をひかれたイメージがある）。携帯電話を使用しないように。トランジスタラジオをかけて散策しないように。この収容所ではスーツケースを引いて歩かないように、ベビーカーを押して歩かないように。区画内では、写真用のフラッシュやビデオカメラを使わないように。犬は入り口に預けること。

アウシュヴィッツ強制収容所のこのバラックは、売店に変わっていた。ここでは、ガイドブック、カセットテープ、証言を収めた本、ナチの強制収容所システムについての教育的著作が販売されている。非常に俗悪なマンガ、女囚と収容所の看守の愛が語られているらしいマンガさえ売られている。だから、完全に喜ぶにはまだいくぶん早すぎるのだ。収容所（*Lager*）としてのアウシュヴィッツ、この野蛮の場は、おそらく文化の場に、「国立博物館」としてのアウシュヴィッツに変わったのであり、それは結構なことだ。問題のすべては、この野蛮の場が、どの種の文化を模範的に示す場所になったのかを知ることにある。

「野蛮の場」――収容所としてのアウシュヴィッツはそれであった――という文脈における生きるための、生き残るための戦いと、「文化の場」――国立博物館としての現在のアウシュヴィッツはそれである――という文脈における残存の文化形態に関する議論のあいだには、いかなる共通点もないように思える。しかし、実は共通点がある。というのは、この野蛮の場は、ある種の文化によって可能となったからである――なぜならこの場は、数百万人の命をそこで否定しようと専念した人々全員の、その物理的で精神的なエネルギーによって考えられ、組織され、維持されたからである――。それは、人類学的で哲学的な文化（たとえば人種）、政治的文化（たとえば民族主義）、さらには美学的文化（たとえば、ある芸術は「アーリア的」になることができて、他の芸術は「退廃している」と語らせた文化）である。したがって文化は、歴史というケーキの仕上げをするサクランボではない。つまり、それはまだ依然として闘争の場なのである。その場で歴史そのものが、まさに決断と行為のただ中で形をなして、見えるようになるのだ。その決断と行為が、いかに「野蛮」、あるいは「粗野」なものであろうとも。

有刺鉄線の近くを歩いているときに、一羽の鳥が私の近くにとまりにやってきた。すぐ横だが、しかし反対側に。柵などものともしないこの動物の自由さにおそらく感動して、私はあまり考えずに写真を一枚撮った。エヴァ・ブローヴァという、一九四四年一〇月初旬にこのアウシュヴィッツで亡くなる子供が、一二歳のときにテレージエンシュタットの収容所で一九四二年に描いた蝶の記憶が、おそらく私の心をよぎったのである。しかし、今日このイメージを見つめながら、私はまったく別のことに気づく。その背景には、電流が流れる収容所の有刺鉄線が延び広がっている。その金属はすでに錆で黒ずんでいて、前景の有刺鉄線にはない非常に特殊な「編み方」で配置されている。前景にあるものの色――明るいグレーだ――から、それらが最近設置されたことが分かる。

それを理解するだけですでに、心が締めつけられる。それが意味しているのは、「野蛮の場」（収容所）としてのアウシュヴィッツが、一九四〇年代に奥の有刺鉄線を設置したのに対して、前景のものは、「文化の場」（博物館）としてのアウシュヴィッツによって、もっと最近になって配置されたことである。どのような理由によってであろうか。有刺鉄線を「地方色」として用いて、来場者の流れを導くためであろうか。時間がたって痛んだ柵を「復元」するためだろうか。私には分からない。だが私は、この鳥がおそろしく異なる二つの時間の間にとまったと、空間と歴史の同じかけらを管理するまったく違う二つの方法の間にとまったと、まさに感じたのである。鳥は、知らず知らずのうちに、野蛮と文化の間にとまったのだ。

アウシュヴィッツにある例の「処刑の壁」は、第一〇区画と第一一区画の間に位置している。第一一区画の一階には、小さなSS「部局の部屋」が設置されていて、その部屋は、カトヴィツェのゲシュタポ（秘密警察）が使う刑罰裁判所の役割を果たしていた。そしてまた、留置人が処刑を待つ部屋もあった。そして、それらの部屋は「再現」されたものらしい。地下には、*Stammlager*、つまり「主要収容所」の監獄の独房があった（*Stamm* という単語は、実際には木の幹を指していて、そうしてなにかの核心、系譜的な関係を示している。フランス語の「この父にしてこの息子あり」という表現に等しい「リンゴは幹から遠くには落ちない（*der Apfel fällt nicht weit vom Stamm*）」という表現におけるように）。壁の上のほうに、暖房用の配管が残っているのがまだ見える。そして、複数のとても小さな地下牢が見える。そこで、すべて——食料、空気、光——を奪われた囚人たちは、飢えと渇きで死んでいった。

「死の壁」とも呼ばれた「処刑の壁」（*Erschiessungswand*）は、実際には黒く塗られていた。それは、セメント、砂、木でできた板で作られていたが、これは跳弾を避けるための材料である。いま私が見ている壁——そこには誰かが、ある者は白い小石を、ある者は葬儀用の花輪を、またある者は造花のバラや宗教画を置いていっていた——のほうは、塗料、石膏、液状セメントに包まれた灰色の繊維の凝集物でできている。まるで断熱材や劇場の壁のようだ。痛ましい感覚——なぜならここにはどんな標示板もないため、自分が目にしているものの実態が分からないからだ——、つまりアウシュヴィッツの壁が、つねに真実を語るわけではないという痛ましい感覚を感じる。

私がこの現場を通り抜けているまさにその時に、ヴェネチア・ビエンナーレが開催されていたが、収容所の区画——第一三から第二一区画——が、そのビエンナーレのような「国別パビリオン」に変わってしまったのを見ると、痛ましい感覚を感じる。ここでは、他の場所でよりも壁は嘘をつく。ひとたびその区画に入ると、すべてが展示空間に「改装」されていて、もはや本来の区画らしい姿をなにも見ることができない。ポーランド館には教育的な大きな絵や図があり、国家的な仰々しさが感じられた。イタリア館の内部は、らせん状の建築構造になっていて、歴史的なメッセージを伝えるには装飾的な空想が必要であったかのようだ。フランス館には、アネット・ヴィヴィオルカの署名が入った「シナリオ」があり、彼女が考案した「舞台装置」と「手書き文字」、壁に描かれた役立たずの影絵、クリスチャン・ボルタンスキーの作品をまねたインスタレーション、クロード・ランズマンの映画『ショア』の広告がある。アネット・ヴィヴィオルカの本は、かつてないほど図書館に必要であり、クロード・ランズマンの映画は、かつてないほど映画館に必要であり続けている。あらゆる文化の場——図書館、映画館、美術館や博物館——が、世界中でアウシュヴィッツの記憶を築くのに貢献できるのであり、それは言うまでもないことだ。だが、アウシュヴィッツを思い出す虚構の場になるために、アウシュヴィッツがその場そのもので忘却されねばならぬとしたら、なんと言うべきであろうか。

ビルケナウでは様子がまったく異なっている。ここには、もはやほとんど壁が存在していない。だが、その規模は真実を偽らず、驚くべき力――深い悲しみの力、恐怖の力――でわれわれに衝撃を与える。地面もまた偽ることはない。今やアウシュヴィッツは博物館になろうとしているが、ビルケナウはほとんど考古学的な場所のままである。少なくともそれが、ほぼすべてが破壊されたそこで、まだ見るべきものを見つめるときに現れるものである。たとえば、引き裂かれ、傷つけられ、穴だらけになり、ひびが入った地面だ。これらの地面は、切り込みを入れられ、傷つけられ、切り開かれている。これらの地面は、歴史によってひび割れ、砕かれたのであり、叫びださんとする地面なのだ。

ここのような場所は、訪れる者に、ある時、自分自身の見る行為を自問するように要求する。時間が経つにつれて私は、身体のある種の特徴――低い身長、眼鏡をかけてもやはり近眼の両目、ある種の根本的怖れ――が原因で、どちらかといえば下にあるものを見つめるようになっていたことに気づいた。ふだん私は、地面のほうに目を向けて歩いている。とても昔に感じた――子供の頃に、といったほうが良いだろう――転倒することへの怖れから、きっとなにかが残っているのだろう。だが同様に、ある種の恥ずかしがり屋の傾向も、その一因であろう。そのため、長い間、私にとって面と向かって見つめることは、必要であるのと同じくらい難しいことであった――それには本当に勇気が必要であると感じていた――。当然のように、一連の微かな身振りが、自分の視野を拡散させるよりは集中させるために生じた。だから私は、物事を前にした全般的な内気さ、逃げたい、あるいは常に注意力を散漫にしていたいという欲求を、下にあるすべてのものを観察する行為に変える癖がついていた。つまり最初に見えるもの、「鼻先に」あるもの、地面にある平凡なものを観察する癖が。まるで、見るために身をかがめることで、自分が見ているものをいくぶんかより良く考えられるかのようだった。ビルケナウでは、歴史を前にして特別に打ちひしがれて、おそらく私は、ふだんよりも少し余計に頭をかしげていた。

そうして私はビルケナウに赴いた。多くの他の人々——無数の観光客、無数の巡礼者や数百人の生存者、彼らは、ときには一方が自分自身を他方であるとみなしている——と同じように、人間が人間に与えることができた苦しみの中心地を私は「訪れている」。これはなにを意味しているのだろうか。そしてなぜ、そのことを書くのか。長い間、それは自分には不可能であろう、と確信していたのではなかったか。しかし、ワルシャワ行きの飛行機に乗り、クラクフ行きの列車、アウシュヴィッツ行きのバス、ビルケナウ行きのシャトルバスに乗るのは、とても簡単だ。ユベルマンという名の約八百人が、〈絶滅《ショア》〉による死者の名簿に記載されているにもかかわらず、私は、パウラ・ビレンが正当にも語れたようには、アウシュヴィッツ゠ビルケナウに「戻る」状況にはいない。パウラ・ビレンは収容所の生存者であり、クロード・ランズマンのカメラの前でこう語っていた。「たびたび戻りたいと思いました。でも、私はなにを見ることになるのでしょうか。どうやってそれと対峙したらいいのでしょうか。〔……〕あそこに戻るなんて、あそこを訪れるなんて、どうしてできるでしょうか」。

だから私は、かつて地獄であったところ、そしてその日曜の朝には、とても穏やかで静かであったところのドアを通り抜けたのである。私は主要監視塔に登った。選別が行われた積み降ろし場《ランプ》に面した窓を撮影した。私に同伴していた友人のアンリは——彼の粘り強い優しさのおかげで、私はこの旅に一歩を踏み出す決意をしたのだ——、私が「これは想像を絶している」と言うのを耳にした、と言っている。もちろん、私はそう言った、皆のようにそう言った。だが、私が書き続け、見つめ続け、フレーミングし続け、写真を撮り続け、自分が撮ったイメージをモンタージュし続けなければならず、そのすべてについて考え続けなければならないとしたら、それはまさに、そのような文章を不完全なものにするためなのだ。むしろ、「これは想像を絶している、だから私は、それでもなおそれを想像しなければならない」と言うべきだろう。少なくともそのなにかを、最小限でも、それについて知ることができるなにかを形象化するために。

　私は見つめたが、それは想像を絶すると同時に、非常に簡潔であった。そこに選別用の積み降ろし場を見いだしながら——正面の道には、まばらな見学者の集団がいた——、まさに私は、過ぎ去った現実（選別という悲劇）の想像不可能性を、過ぎ去った視点（同じ窓の前で、ＳＳの歩哨が、事態が順調に機能しているのを監視すること）の想像不可能性として感じていた。想像不可能性とは、犠牲者たちが、これから起こる瞬間、自分たちの運命に終止符を打つ《コンソメ》——消尽する《コンシュメ》——瞬間を明確に表象できないという不可能性であった。あるいはＳＳの歩哨にとっては、自分が遠い高みから監視していた男性、女性、子供たちの人間性を想像することへの拒絶であった。しかし今や、このページを書く私にとって、そして一冊の歴史書を前にした誰にとっても、あるいはアウシュヴィッツの地にいる誰にとっても、それはその想像力の袋小路にとどまらない必要性を意味している。まさにこの袋小路は、ナチによる絶滅機構が発揮した非常に強力な戦略的力——虚偽と蛮行を介した——の一つであったのだから。

その時から私は、実際のところ盲目的にすべてを撮影した。それはまず、一種の切迫感が私を前に突き動かしていたからだ。そしてまた、この場所を、きちんとフレーミングされた一連の風景には変えたくなかったからである。最後に、いかなる明確なフレーミングも、技術的にいってほとんど私には禁じられていたのだ。というのは、その昼日中の重苦しい光は、空の雲によってほとんど強まり、少なくともどんよりとした強さを高められていて、私がもつデジカメの小さな操作画面に映るものを、なにも確認できなくしていたからである。

だが、ビルケナウにおいて地平線はなにを意味しているのだろうか。あらゆる希望を打ち砕こうと考案されたこの場所において、地平線とはなんであろうか。地平線、それはまず監視塔が見下ろすこの荒涼とした土地の平面である――今では荒涼としているが、当時は、恐れおののく人々が丸ごとひしめいていたのだ――。すぐそこには、森の木々の頂が描く線がまさに現れている。だからできるだけ遠くに、収容所の電流が流れる柵のかなたに、視線を向けようとしなければならない。そこでは、いわば自然が「自分の権利を回復していて」、おそらくまだ人間の権利も存在しているが、まさにこの場所は、かつてはその権利の否定を非常に効率よく管理運営していたのである。だが、ここの地平線は、まずは有刺鉄線の水平な線だ――約二〇列もある――。それらの線は、人間の背丈ほどの高さで、人々がどこにいようとも視界と同時に生命を閉じ込めているのである。

空間の全体が、有刺鉄線によって抹消線を引かれ、傷つけられ、切り込みを入れられ、削除され、皮を剝がされている。刺のある水平な直線は、遠近法的なグリッドを示す光学器械のように位置を示すためではなく、すべてを諦めさせるために設置されているのだ。だからこれは、あらゆる方位や方位喪失を越えた地平線なのである。これは嘘をつく地平線であり、そこでは遠方への開放が、有刺鉄線の冷酷な柵とぶつかる。監獄――それは理論的に言って法的な空間であり、その柵は不透明な壁によって具体化される――とは反対に、ビルケナウの収容所は、外へと視覚的に「開かれて」いればいるほど、その権利に対する否定において閉ざされているのである。

　ほとんどすべてが破壊されてしまった――とりわけ、一九四五年一月二七日に赤軍の最初の兵士が到着する直前に、二〇日から二二日のあいだにSSが爆破した死体焼却場（二）が――今日、ビルケナウの地平線は、まだそこにある木造のバラック、立ち並ぶ柵用の杭、解体されたあらゆるものの遺物のあいだに、よりはっきりと現れている。だからこそ、この場所を訪れる人々にとって、地面がかような重要性を帯びているのだ。考古学者が見つめるように、見つめなければならない。つまり、この植生のなかに、莫大な人間の悲嘆が眠っているのである。そしてこれらの長方形の土台、レンガの山のなかには、毒ガスによる大量虐殺のあらゆる恐怖が眠っている。また、この異常な地名――「カナダ」「メキシコ」（三）――のなかには、人間を資材とみなし、加工すべき残りかすとみなす理性的組織の狂った論理全体が、眠っているのである。さらに、ぬかるむ静かな表面のなかには、虐殺された無数の人々の灰が眠っているのだ。

私は、まだ無傷の（こう言ってよければ）バラックに入った。これは、度外れであると同時に閉鎖的な空間だ。今は、もはやそこには誰も、苦しみ、うめき、死に、生き残るためにいたりはしないのだから、われわれは、この人間の条件以前の状態のようなものに衝撃を受けているのだ。その状態とは、この建築様式、簡素さ、残酷な貧しさ、家畜小屋の論理という意味である。レンガとセメントは下にあって、床、便所、配管、暖炉用であった。その他のすべては、木でできている。つまり梁、板材、それですべてだ。ベッドの枠は、粗雑な造作でできている。壁の黒いクルミ塗料は、ポーランドで農家の建築に典型的なものだ。そして、このドアを閉鎖する仕組み。

それを写真に撮ることは、必然的に、衝撃的な観点でイメージを生み出すことになる。それらは細長い建物で、たとえばそこでは、便所の簡略な穴が果てしなく続いている。このような場所では、もっとも明白な映画形式が、アラン・レネが『夜と霧』で採用した移動撮影であった理由が分かる（その移動撮影は、クロード・ランズマンのパノラミックショットやロングショットとは異なっている。ランズマンは、『ショア』において、もはやどんな建築物も残っていない絶滅の現場という「非－場所」を撮影するのに、そのようなショットを用いていた）。さらに、移動撮影にはレールが必要であり、そのため鉄道の装置そのものと共通点がある。それは、「最終解決」に必要不可欠な装置であった。なぜなら、ヨーロッパ全体からビルケナウの致命的な「積み降ろし場」まで、ユダヤ人の輸送を管理することが重要であったからだ――ラウル・ヒルバーグが指摘したように。

人間用の家畜小屋、私はそのドアだけを写真に撮った――それは静止ショットのようであり、そのあらゆる光景に「とまれ」と言うかのようである。結局のところこの小屋は、さらなる巨大な家畜車にほかならなかったのではないか。それは最後の貨車、停車した貨車、とにかくさらに悪化する地獄のような生存空間ではなかっただろうか。

ここには、他の場所を上回る衝撃的な透視図がある。この道――ナチの役人が*Lagerstrasse A*（収容所道路A）と名付けた「収容所の道路」――は、適格者を*Zentralsauna*（中央サウナ）へ導き、そこで彼らは服を脱がされ、チクロンBで消毒され、刺青を入れられる、などなどをされた。あるいはこの道は、「不適格者」を第四と第五死体焼却場に導き、そこで彼らは同じチクロンBの致死量によって、すぐにガス殺されることを約束されていた。*Hauptstrasse*、つまり「主要道路」と呼ばれた別の道は、「不適格な」到着者たちを大きな第二と第三死体焼却場に連れて行った。

まさにこの道路で、*Judenrampe*（ユダヤ人用積み降ろし場）での「選別」後に、一九四四年の五月と六月の間にナチの役人が配置について、列車で到着したハンガリーのユダヤ人を、とりわけすぐに死へ導かれた「不適格者たち」――女性、子供、老人――を撮影したのである。二〇一一年六月のその穏やかな日曜日には、道路は空っぽだった。視界には一人の観光客もいなかった。それは、収容所の鉄道区域からガス室の区域に行く砂利だらけの道にすぎない。簡単に照準を合わせて、単に指を動かしただけで私が捉えたそのイメージは、大いに平凡であったにもかかわらず、じつははるかに捩れた複雑なものである。一枚の写真にすべてを期待するときに（「そうだ、それだ、それだ！」）、あるいは逆に、それにもはやなにも期待しないときに（「いや、そうじゃない、なぜならそれは想像不可能だからだ」）語りうるあらゆることよりも、はるかに捩れた、複雑なものである。

この二者択一における偽の困難を取り除くには、考古学的な視点があれば十分である。そうなのだ、まさにそこ、そう、まさにそれが、まだ時間に抗っているのだ。つまりそれは、まさにあの道路、あの道、有刺鉄線が設置されたコンクリート製の支柱でできた二つの垣である。それはまさに、われわれの歴史の場所である。しかし、いまこの場所には、その悲劇の俳優たちは全員いない。歴史の炎は消え去った。その炎は、死体焼却場の煙とともに消え、死者の灰とともに埋められてしまった。なにも見るべきものがない――あるいはほんのわずかしかない――のだから、想像すべきものはなにもない、ということだろうか。もちろんそんなことはない。考古学的な視点で物事を見つめることは、現在われわれが見ているもの、残り続けているものを、消え去ったと知っているものと比べることである。

真実を語ることができるのは、単語によってではなく(それぞれの単語は、嘘をつくことができて、すべてを意味することができるし、その反対を意味することもできる)、文章によってである。「収容所道路」を撮った私の写真は、まだ貧しい単語にすぎない。だからこの単語は、文章のなかに位置づけられる必要がある。ここでの文章は、私の物語全体、不可分な単語とイメージでできた物語である。しかし、同じ一つの単語も、さまざまな文脈で用いられて初めて意味をもつのである。そして、それらの文脈、つまり異なる文脈、文章、異なるモンタージュを変化させて、試す術を心得なければならないのだ。たとえば、一九四四年の五月か六月のある日にこの道を通った人々の顔を、独りでそこを歩きまわった後で探査するモンタージュである。それらの顔を、ナチの将校は見つめることなく撮影したのだが、しかしそれらは、『アウシュヴィッツのアルバム』の衝撃的な――卑俗であると同時に恐ろしく、とても簡潔であると同時に目も眩むような――ページから、いまわれわれを見つめているのである。

しばらく歩かなければならない。収容所道路A（*Lagerstrasse A*）が終わると、金網が張られた新たな門をまた通ることになる。つづいて左へ曲がって、収容所道路B（*Lagerstrasse B*）を進まなければならない。その先には——ここではすべてがまさに空っぽだが、これらの地名は、われわれが亡霊たちの町に、巨大な都市にいることをまさに示している——環状道路（*Ringstrasse*）が続いている。*Birkenwald*、すなわち樺の林は、まさにそこから始まっている。この林は、全体的に青々として穏やかで（冬にはかなり異なるはずだが）、その白い幹と斑点は、とても繊細な美しさを示していて、なにか楽譜の名残を思わせる。私が撮った写真の何枚かには木々しか見えず、まるで私の眼差しが、有刺鉄線の彼方に息をする場所を探し求めていたかのようだ。だが、有刺鉄線は、セメントの杭、電気導体とともにそこにある。そのすべては、まわりの木の幹がもつ視覚的な力によって、とても目立たないものになっていたが、それでもまさに現れていた。なぜならそれらの有刺鉄線は、この平凡な森のなかで、虐殺が組織された場所を示しているからだ。

われわれは、第四死体焼却場と第五死体焼却場のすぐ近くにいる。ナチの写真家が『アウシュヴィッツのアルバム』の「不適格者」という章にまとめた図版には、木々のなかに集められ、草の上に座った数十人の女性と子供が見られる。不注意な眼差しなら、それを巨大なピクニックの光景だと思うだろう（実際には、彼らは食事をすることなく、待っている。口に手をあてているように見える人々は、ＳＳの恐ろしいレンズの前で彼らを捉えた不安のせいで、そのような身振りをしているのだ）。ときおり、背景に電流が流れる杭が見える。しかし、木々の幹は、すでに巨大な監獄の格子のようであり、あるいはむしろ彼らを取り巻く罠の網の目のようだ。

第五死体焼却場があった場所は、樺の林にある空き地のようになっていた。一九四二年一一月に建設作業が始まり、早くも一九四三年四月五日に、SSはそこで毒ガスによる最初の大量虐殺を行うことができた。見学者がいま見ることができるのは、ほとんど一九四五年一月にソビエト軍が見たものだけである。つまり、単なる廃墟、瓦礫の山であり、その瓦礫の前にある小さな「立ち入り禁止」の札を見ると、われわれは「入り」たくなくなるのだ。

周知のように、ロシア人たちは、おそらく死体焼却炉の残骸を明るみにだそうと考えて、それらの瓦礫を取り除こうとした。その死体焼却炉は——他のすべての死体焼却炉と同様に——名門のトプフ・ウント・ゼーネ社によって製造された。この会社は、もともとは工業的なビール醸造設備や、穀物の焙煎設備の供給を専門としていた。しかし、ロシア人たちの努力にもかかわらず、爆発物がちょうど炉のなかに置かれたため、もはやレンガと鉄くずの不定形な山しか残っていなかった。瓦礫の前に設置された標示板が、今でも建物の正確な外形を教えてくれる。収容所の*Bauleitung*、つまり建築課の役人たちには、一九四五年にそのすべての図面を燃やす時間がなかったのだろう。

まさにここで、一九四四年八月に、一人の特務班員が仲間たち全員に助けられて四枚の写真を撮ったのである。今日にいたるまで、それらの写真は、毒ガス虐殺の作業がまさに進行中のときの唯一の視覚的証拠となっている。それらは、囚人たち自身によって生み出された証拠であり、あの「特務班員の手書き文書」のように、ビルケナウという閉ざされた世界——空間の冷酷な閉鎖と時間の冷酷な運命――の彼方へ伝えられるべき証拠であった。これらの資料には例外的な性格があったため、アウシュヴィッツ＝ビルケナウ国立博物館の学芸員は、廃墟のちょうど正面に三つの記念碑を設置しようと考えた。それらの記念碑は、例の写真を展示していて、その撮影条件を端的に示している。

今から一〇年以上前に、私はこれらの写真に一つの著作を捧げた。それは試論であり、それらの写真を子細に見つめ、その現象学を素描して、その歴史的内容を位置づけ、われわれの思考そのものに対するその衝撃的価値を理解する試みであった。それは困難を伴わずにはいなかった。その困難は、そのようなイメージと対峙するための内的な困難であり、そして論争に立ち向かうための外的な困難であった。その論争は、これらのイメージにかような重要性を与えることそのものと関係していた。これらの困難は、私の困難ではない。私が思うに、これらの困難は、重大な争点――記憶、社会、哲学、政治にかかわる争点――となる歴史的出来事の伝達、そしてその博物館化と関係するあらゆる「文化的」決断に伴うものである。

それでは、この樺の林にある空き地の状況をかいつまんで説明しよう。一方には、魅力的な緑の森があり、もう一方には、レンガとくず鉄の大きな山がある。それはビルケナウの第五死体焼却場の残骸であり、そこで数千人の人々が、いかなる人権もなしに殺害されたのである。その両者の間に、三つの写真「記念碑」、いわゆる「記憶の場」があり、そこから数歩離れたところで、それとは異なる四つの黒い記念碑がそれを補完している。そこには四つの言語で白い字が刻まれていて、「記憶」「犠牲」「大虐殺」「灰」という単語、そして「安らかに憩う」という表現を読むことができる。そこには、行きずりの巡礼者がそっと置いた赤いバラや、ユダヤ教の伝統に則った埋葬の小石も見える。

すでにそれらの写真を知っていた私は、それらが記念碑の上で、「記憶の場」の規定を満たすために受けた処理に、もちろん衝撃を受けている。ここで私は、瑣事にこだわる「専門家」として語りたいとは思わない――私は専門家ではない――。まさにあの問い、もっとも明白な問いが、私の頭に浮かぶ。つまり、だからといって、伝えるためには簡略化しなければならないのか、という問いが。教育のためには美化しなければならないのか、という問いが。もっと過激にこう言うこともできよう。真実を語るためには嘘をつかなければならないのか、と。いったい誰が、これらの問いに確実に答える責任を取れるのだろうか。私の記憶が確実なら、ベルリンにある「虐殺されたヨーロッパのユダヤ人のための記念碑」の地下では、綿密な正確さを目指して資料が展示されている。被収容者たちの手紙は、見学者のために写真に撮られ、活字化され、翻訳されていた。そのため見学者は、その物理的な真実の全体を、情動的な力の全体とともに受け取ることができる（なぜなら、それらの手紙は衝撃的であり、文献学的な綿密さは、それらがわれわれを感動させる力を目減りさせるどころか、その正反対だからである）。

ここでは逆に、他の多くの歴史書や「記憶の博物館」におけるように、特務班の写真は、その存在条件そのものを裏切る仕方で単純化されてしまった。まず、実際にわれわれまでたどり着いた四枚中の三枚の写真だけが話題になっている――そして示されている――。では、見えなくなったこの四枚目のイメージは、他の三枚にどんな迷惑をかけるというのか。ビルケナウの盗撮者が、どんなに極度に危険な状況にいたのかをわれわれは知っている。とくに、死体焼却場の外で——すなわち、今も現地にある監視塔から数メートルしか離れていないところで——、ガス室へ追いやられる女性たちが絶望して突き進む姿を、撮影する決断をしたときのことを。

それらの記念碑にない写真は、その突き進む姿を捉える試みにほかならなかった。きちんとフレーミングすることができず、つまりカメラを隠したバケツから取り出すことができず、ファインダーに目を当てることができず、その特務班員はできる限りのことをして、盲目的に木々の方にレンズを向けた。それがどのような結果をイメージにもたらすのかを、彼は明らかに知らなかった。今日のわれわれがそこに認識できるのは、樺の森の木々である。かろうじて木々、空に向かって伸びた枝、一九四四年八月のその日の露光過度な光だけである。

この写真をあえて見つめるわれわれにとって、この「失敗した」「抽象的な」あるいは「方向を見失った」写真は、今でも本質的なものを示している。つまりこの写真は、危険そのものを、ビルケナウで起こっていたことを見るという命の危険を示しているのだ。そして緊急の状況を、まさにその歴史の瞬間に証拠を残すことがほとんど不可能であったことを示している。「記憶の場」の企画者にとって、この写真は、撮ろうとした指示対象が写っていないため役に立たない。このイメージには誰も写っていないのだ。だが、証拠が成立するには、はっきりと見える——あるいは読める——現実が必要なのだろうか。

　残った三枚の写真はというと、それらが立証する現実がもっと「読みやすく」なるように、写真がトリミングされたことに私はすぐさま気づいた。ガス室へ突き進む女性たちのイメージは、ここでは実際の写真から取り出された「クロースアップ」にすぎない。実際の写真では、樺の林そのものが、まさにもっと大きな部分を占めていたのだ。野外での遺体焼却を写した二つのイメージは、撮影を可能にした要素そのものを削除するために「修正」されていた。つまり、斜めのアングルと大きな薄暗がり——ガス室そのものの薄暗がり——が削除されているのである。だが、そのアングルと薄暗がりのおかげで、盗撮者はカメラを取り出して、その場面をフレームに収めることができたのだ。まさしく彼は、見るためには身を隠さなければならなかったのであり、記憶を巡る教育法が、ここで奇妙にもわれわれに忘れさせようとしているのは、まさにそのことなのである。

私は、空に目を向けた。その六月の午後には、青空は鉛色で灰のような色で、私はまるで殴られるように厳しい光を感じた。頭の上には樺の枝があった。私はなにも考えず、なぜかもよく分からずに一枚か二枚の写真を撮った——そのときには、仕事、論証、物語の計画はまったくなかった——だが、それらのイメージが、樺の林（*Birkenwald*）の木々に向かって無言の問いを投げかけているのが、今はよく分かる。それは樺そのもの、考えてもみれば、ここで成長し続けている唯一の生存者への問いである。自分が撮ったイメージをビルケナウの盗撮者が撮ったものと見比べると、今や樺の幹が、一九四四年の八月よりもかなり太くなり、頑丈になっていることが確認できる。

記憶は、詳細な回想をもたらすようにわれわれの能力を促すばかりではない。この歴史の重要な証人たち——ダヴィト・シュムレフスキ、ザルマン・グラドフスキ、レイブ・ラングフス、ザルマン・レヴェンタル、ヤアコヴ・ガベイやフィリップ・ミュラー——は、表象と同じくらい情動を伝え、明白な事実と同じくらい、移ろいやすい意識されざる印象をわれわれに伝えたのである。まさにその点で、彼らの言葉遣いがわれわれには重要であり、その点でこそ、彼らの言葉はわれわれを動転させるのである。ビルケナウの盗撮者が、自分の絶望的な証拠に視覚的な確実さ——そこでは、影が光と争うように、識別できないものが識別できるものと争っているのだ——を与え、一つの形を与えるために選んだ火急の選択がわれわれにとって重要であり、われわれを動転させるのと同様に。

私は、禁止の標識も知らずに、第五死体焼却場の静かな廃墟、「自由に風の通る広々とした」あの荒廃した場所を長々と散策した……。私は、この表現をすでに遺憾に思っている。それほどこの表現には、このような場所に固有な残酷さ、監禁——そして殺害——がもたらす逆説が鳴り響いているのである。空は上方で重々しくて、そよ風がまわりを通り抜けていた。はっきりと見える土台、何列か並ぶレンガの残骸、それらすべてが、まるで私の前に広がる景色が逆転したかのように、建物の壁と天井を想像させた。その建物で、多くの人間の命が窒息死したのである。森が、有刺鉄線の柵を越えて穏やかに広がっているのが正面に見える。

そのときに私が撮ったイメージのアングルは、実際、かつてビルケナウの盗撮者がとった視点からあまり離れていなかった（別の本で再現しようとした撮影順序の問題は、脇に置いておこう。[四] この問題は、コンタクトプリントの方向が逆かどうかに関わっている。そのコンタクトプリントは、なくなったネガの代わりにアウシュヴィッツの博物館に収蔵されている）。私が撮ったイメージは長方形で、樺の枝の途中で視界を断ち切っているが、特務班員が使ったカメラのフォーマットは正方形で、同じ木々の上に空を少し現れさせていた。

クロード・ランズマンによる激烈で執拗な否認にもかかわらず——それらの否認が、なんらかの形而上学的な論拠によるものであろうと、あるいはこの上なく単純な悪意、つまり正しくあろうとする、もしくは自分が常に正しかったことを望む人が抱く悪意によるものであろうと——、ここに、この残骸の山と土台の列のただ中に、恐ろしい明白な事実が現れる。その明白な事実を、かつて私は、死体焼却場の建築計画を分析して、ダヴィト・シュムレフスキがもたらした重要な証言と組み合わせながら、それに基づいて論証した。[五] シュムレフスキは、この出来事からただ一人生き残り、一九八七年にジャン＝クロード・プレサックの綿密な質問に答えていたのである。それは恐ろしい明白な事実であり、ＲＡＦ（イギリス空軍）が一九四四年八月二三日に撮影して、最近まで現像されていなかったその航空撮影のイメージが、新たな視点の証拠をもたらしていた。つまり、特務班員が撮った二枚の写真には、正面の斜面で行われた遺体の焼却が見いだされるが、それらはまさにガス室から撮影されたのである。そのドアは、シュムレフスキがはっきりと説明したように、通気のために北側に開かれていたのだ。まさにそのドアの壊れた戸口しか、今は見つめることができない。

なぜ、このような主張が、多くの抵抗、多くの怒りと曖昧な推測を引き起こしたのだろうか。その答えは、おそらく「ガス室」という表現のさまざまな使用価値にある。今日、第二次世界大戦中のヨーロッパのユダヤ人大虐殺について語られる言説において、人々はこの表現にそれらの使用価値を与えようとしているのだ。ショアの形而上学者にとって、「ガス室」は惨劇と神秘の核心を意味しているのである。つまりそれは、証人がいない代表的な場所であり、その根本的な不可視性ゆえに、いわば至聖所の空虚な中心に似ているのである。

逆に、言葉が自分の具体性と関係するときの恐ろしい意味を恐れずに、次のように言わなければならない。つまり、特務班員にとって、ガス室はほとんど日常的な「作業場」、証人による作業が行われる地獄の場所であった（その証人が、フィリップ・ミュラーのように奇跡的に生き残ろうと、ザルマン・グラドフスキのように、他の全員と同様に死亡しながらも、自分がおかれた状況の物語を残すのに成功しようとも）。盗撮者の行為は、結局のところ英雄的であると同様に簡潔であった。彼は、ガス室で配置につく。まさにそこでSSは、来る日も来る日も彼に、虐殺されたばかりの犠牲者の遺体を始末することを強制していた。そして彼は、看守たちの監視から奪い取ったわずか数秒の間に、隷属的な作業、自分が行う地獄の奴隷の作業を、真の抵抗作業に変えたのである。

今日、集団殺害の恐怖を推し量ろうとしながら、それができずにいるわれわれにとって、ガス室はまず「最終解決」の絶対的な中心を意味している。だが、このような過程の現実的な――つねに物理的で、平凡で、状況的な――諸条件はけっして絶対的ではないのであり、そのため各人にとってガス室は、「選別」、SSの決定、そして全般的に無数の条件の相対的な――残酷なまでに相対的な――網の目のなかに存在していたのである。その網の目のなかで、各人の運命は、その死の冷酷な領域のまさに内部で、たとえごくわずかでも変化し枝分かれする可能性があった。ビルケナウの盗撮者は、ガス室の戸口をつかの間の避難所として、そして自分が行う立証行為の斜めのフレームとして用いたのだが、したがって彼の行いは、死の作業から視線の作業への微かな分岐として理解されるべきではないだろうか。

そうして私は、北に向かって柵の近くへ進んでみた。ここでは、ビルケナウのこの領域に設置された境界線の角に、監視塔が見える。それはおそらく、盗撮の作業中に、特務班員が抱いたあらゆる不安の的であった。まさにそこ、電流が流れる柵の近くで、盗撮者の仲間たち——この盗撮者は、文字通りに彼らの作業の資料を提供してくれた——は、毒ガスで殺害されたばかりの犠牲者の遺体を、露天で激しく燃えさかる炎に投げ込んでいたのである。そこからは煙が、ＲＡＦ（イギリス空軍）の航空写真に非常にはっきり見えるのと同じ煙がのぼっていた。

周知のように、一九四二年秋まで、掩蔽施設《ブンカー》（六）ⅠとⅡのユダヤ人犠牲者の遺体は埋められていた。ハインリッヒ・ヒムラーは、一九四二年七月一七日と一八日にアウシュヴィッツを訪れたときに、掩蔽施設Ⅱの毒ガス殺害と死体の埋葬に立ち会った。しかし、その一方でＳＳは、死体が腐敗して、自由地下水が汚染されることを恐れていた。したがって、ビルケナウでさらに一〇万人の囚人を収容する計画に、管理面での新たな問題が生じていたのだ。だからヒムラーは、ヘウムノの大焼却——それは、ＳＳの大佐パウル・ブローベルによって実行された——を模範にして、遺体を焼くように命令を下した。そうして、一九四二年九月末から一一月末にかけて、樺の林の領域で、五万の遺体が外の広い場所で焼かれたのである。フィリップ・ミュラーは、一九四四年春、第五死体焼却場の正面に、新たな焼却用の穴を掘削したことを詳細に報告していた。それは、ハンガリーのユダヤ人を皆殺しにする大計画を運営するためであった。

それから穴は埋められた。収容所のあの柵の近くに見えるものは、あの恐ろしい仕掛けより以前にあった地面の状態におそらく似ている。その仕掛けは、縦は四〇から五〇メートル、横は八メートル、深さは二メートルあり、人体から出る油を集める溝がそれに加わっていた。「絶対的に」言えば、そこにはもはや、以上のすべてに関して見るべきものがまったくない。しかし、私が今いるあの歴史の事後もまた、作用すること、遅れて作用すること、「相対的に」作用することなしに成立していたわけではない。それが、死体焼却用の穴がまさにあった場所で、白い花々が奇妙に群生するのを見いだしながら心を締めつけられて、私が気づいたことである。

ジョルジュ・バタイユは、かつて「花言葉」と題する美しい論文を書いていた[七]。そこで彼は、花々に与えられる安堵させる価値を逆転させた。人々が、花々と性、あらゆるものの落花、根の腐敗の関係を知らずにいたいと思うときに、そのような価値が花に与えられるのだ。ここでは逆説は、さらによりいっそう残酷だ。なぜなら、野原の花々が生育していく豊かさは、結局のところ、ポーランドの帯状の地面が、人間の大虐殺の代償を利用した結果にほかならないからである。

したがって、なにも見るべきものはない、もはやなにも見るべきものはないなどとは、けっして言うことはできない。見えるものを疑うのを心得るには、さらに見ることを、それでもなお見ることを心得ねばならないのだ。破壊にもかかわらず、あらゆるものの抹消にもかかわらず。考古学者が見つめるように、見つめることを心得なければならない。そして、われわれに見えるものに対するそのような眼差し——そのような問い——を通じてこそ、事象は、それが埋まった空間、過ぎ去った時から発して、われわれを見つめて関係を結《ルギャルデ》び始めるのである。今日ビルケナウを歩くことは、平和な風景のなかを散歩することである。そしてその風景は、この「記憶の場」の歴史家たちによって密かに方向付けられているのだ——文字や説明文が標示されていて、ようするに資料で裏付けられているのである。この場所が舞台となった恐ろしい歴史は過ぎ去った歴史であるため、人々はまず見えているものを信じたいと望み、つまり死が立ち去り、死者たちがもはやそこにはいないと信じようとしているようだ。

しかし、まさにそれとは正反対のものが、少しずつ見いだされていく。さまざまな存在の破壊は、彼らが別の場所に立ち去ったことを意味しない。彼らはそこに、まさにそこにいる。あの野原の花々のなか、樺の樹液のなか、そして数千人の死者の灰が眠るこの小さな池のなかに。池、たまり水は、われわれの眼差しが、そこにいるのは誰だ、と絶えず尋ねることを求めている。巡礼者たちが置いていったバラが水面にまだ浮かび、腐敗し始める。私が水辺に近づくと、カエルたちが四方から飛び出す。下には灰があるのだ。ここで理解しなければならないのは、世界でもっとも広大な墓地を歩いていることとだ。その墓地の「記念建造物《モニュメント》」は、あの諸機構の残骸にほかならない。それらの機構は、各人を別々に、そして全員を一緒に虐殺できるようにまさに考案されたのである。

このまさに逆説的な「国立博物館」を「保存する学芸員」は、不測の、管理困難な難問にさらに直面した。第四死体焼却場と第五死体焼却場を取り巻く領域、樺の林の外れでは、地面そのものが、集団殺戮の痕跡をつねにまた浮かび上がらせているのだ。特に雨によって洗い流されて、無数の骨の破片やかけらが地表にまた現れてきた。そのため、この場所の責任者たちは、土をまいてこの表面を覆い隠さざるを得なくなった。この表面は、まだ地底からの訴えを受け止めていて、まだ死の大いなる作業を受け止めながら生きているのである。

私は、再び出発する前に第五死体焼却場の地面を撮影した。セメントは、つねに同じように固いが、ただところどころにひびが入り、割れている。苔や地衣類がその場を覆っていた。ナチは、建物を破壊して、自分たちの犯罪的な企ての「証拠」を消そうとしたが、地面を破壊することは思いつかなかった。一つのセメントの地面は、他のセメントの地面になによりも似ている。しかし、周知のように考古学者は、それとは異なる言葉を述べる。つまり、まさに地面は、生き残るかぎりわれわれに語りかけるのであり、中性的で、取るに足りず、些細なものとみなされるかぎり、地面は生き残るのである。だが、まさにそれゆえに、地面はわれわれの注目に値する。地面そのものが、歴史の樹皮のようなものなのだ。

ナチ収容所のいくつかの跡地――とりわけブーヘンヴァルトの跡地――では、地面を調べ、地面の奥まで掘り返し、歴史の遺物を発掘するために、手助けとして考古学専門家の能力が必要であったことを私は知っている。ビルケナウでは、カナダⅡの地面――もはやバラックがまったく残っていない領域――は、ジャン゠フランソワ・フォルジュが近作『アウシュヴィッツの歴史ガイド』で書いているように、「SSの犠牲者が残した悲惨な遺産をまだ吐き出している」。つまり、食卓用具、皿、錫や琺瑯の容器、グラスやビンの破片である。

ヴァルター・ベンヤミンは、「発掘と追想」と題された短い素晴らしいテクストで、次のように――フロイトに続いて――指摘していた。つまり、考古学者の活動は、その物理的な技術を超えて、われわれの記憶の活動に本質的ななにかを解明することができるのだ。「自分自身の埋もれた過去に近づこうとする人は、発掘をする人のように実行しなければならない。その人は、唯一の同じ状況に絶えず戻ることを恐れてはならない――土をまき散らすように、その状況をまき散らし、地面の王国を掘り返すように、その状況を掘り返すのを恐れてはならないのだ」(八)。さて、このまき散らしの繰り返し、失われた時をつねに再モンタージュする繰り返しに彼が見いだすのは、「以前の状況から引き剝がされたイメージである。それらのイメージは、後のわれわれの眼差しにとって、収集家の陳列室にあるトルソー（*torsi*）のように質素な身なりをした宝石である」(九)。

これは、少なくとも二つのことを意味している。まず、記憶術は、発掘された事物、はっきりと見える事物の目録にとどまらない。そしてその一方で考古学は、過去を探査する技術であるばかりでなく、特に現在を理解するための想起でもあるのだ。だからこそ記憶術は、「叙事的で断片構成的《ラプソディ》な」技術《アール》である、とベンヤミンは言う。「もっとも厳密な意味で、それゆえに真の回想は、叙事的で断片構成的《ラプソディ》な方法で、回想する人のイメージを同時に示さなければならない。それと同様に、良質な考古学的報告は、発見がもたらされる地層を示すばかりでなく、特にそれまでに通り抜ける必要があった地層も示さなければならないのだ」(一〇)。したがって私は、この地面を見つめながら、そこに隠されているすべてのものを現れさせるつもりはない。私はただ、それにたどり着くために、その前に通り抜ける必要があった時間の地層に問いかけるのである。そして、それがまさにここで、私自身の現在の運動——不安——と結ばれるように。

樹皮が木について私に語ること。木が林について私に語ること。林、樺の林がビルケナウについて私に語ること。もちろんそのイメージは、他のものと同様にほんの些細なものにすぎない。ほんの小さなもの、表面的なものだ。つまりそれは、フィルム、沈殿する銀塩、具象化する画素である。つねにまったく表面にあり、そして間にある複数の表面を通して現れている。ものの表面だけを表すための技術的な表面。それは、核心について私になにを語ってくれるのだろうか。結局のところ、それはなにに到達するのだろうか。私にはよく分かっているのだが、大部分のイメージは、取るに足りないものにとどまっている。私よりも前に数千人の観光客が、カメラを手にしてビルケナウにやって来て、私の想像だが、私がレンズを向けたまさにあそこに、すでに何度も何度もレンズを向けていたのだ。そのそれぞれの人が、自分のアルバムをもっていると言えるだろう。一般的に、それらのイメージは私的な宝物になっている。夢のイメージのように、それらのイメージは、それらを大切にする人の個人的な回想のなかでだけ、強烈で重要なものとなっている。

しかし、すべてのイメージが、共有される影響をもたずにいるわけではない。集団的な行為であって、私的な単なる戦利品や置物ではないイメージ――ビルケナウの特務班が撮ったイメージのように――があるのだ。周辺にあるものの根底を変化させる表面が存在している。純粋理念の哲学者たち、至聖所の神秘主義者たちは、表面を化粧や虚偽としか考えない。それは、物事の真の本質を隠してい、る、も、の、なのだ。ようするに、本質に対する外観や実体に対する見せかけである。しかし逆に、表面の彼方にあると宣言される実体は、形而上学的な幻想にほかならないと考えることもできる。そして表面は、物事から落ちてくるものであると考えることができる。そこから直接にやって来て、そこから離れるものであり、つまりそこから生じるものであると。そしてそれは、木の樹皮の切れ端のように、そこから離れて、われわれの眼差しのもとでわれわれと出会おうとして、散らばりにやって来るのである。その断片を集めるために身をかがめることを、われわれが承諾しさえすれば。

樹皮は、幹に劣らず真正なものである。あえて言うなら、まさに樹皮によって、木は自分を表現するのだ。いずれにせよ、樹皮はわれわれの前に現れる。それは、出現によって現れるのであって、単なる外観によってではない。樹皮は不規則で、不連続で、でこぼこしている。ここでは樹皮は木にしがみつき、あちらでは崩れてわれわれの手に落ちる。樹皮は、事物そのものに由来する不純さである。樹皮は、あらゆるものの不純さ――偶然性、多様性、豊富さ、相対性――を語るのである。樹皮は、はかない外見と残存する書き込みの境界領域のどこかにある。あるいは樹皮は、われわれ自身の生の決定が書き込まれた外観、われわれが被ったり突き動かされたりした経験が書き込まれた外観、それらの決定と経験の残存するはかなさをまさに指し示しているのである。

私は、なにをしにビルケナウへ行ったのだろうか。「そこへ戻って」なんになるのか。私は、あいまいな進み方で散歩してはいたが、それでも幼少期から形成された知識によって明らかに導かれていたことが思い出される。樺の林を、どんな計画性も中断して通り抜けていったが、それでも抗いがたい方角へと歩いて行った。そのすべては、散漫だが、しかし混乱した精神状態で行われた。その精神状態は、最初に思っていたよりも無関心であったが、それでも完全に場所の暴力によって促されていた。私は、この夏の日曜の独特な空気、空間の予測不可能な規模、空の重々しさを感じた。無言の証人に問いただすように、木々を見つめた。これらの哀れな残酷な花々を、恨みすぎないように心がけた。私は、歩きながら、この場所を自分の家族の歴史に再び書き込んでいった。私の祖父母はまさにここで亡くなり、母は、それについてまったく語ることができなくなり、姉は、私には理解できない頃にポーランドを愛するようになり、私の従兄弟は、想像するに、このように歴史を正面から再び見いだす準備がまだできていない。私は、あのポーランド国籍のユダヤ人の友人について考えた。彼はちょうどこの時に、ヨーロッパのもう一方の端で死を迎えようとしていた。

幻惑されも打ちのめされもしないように、だから私は皆と同じように振る舞った。つまり、偶然にまかせていくつかの写真を撮ったのである。いわば、ほとんど偶然に。自宅に帰ると、私の前にこのいくつかの樹皮の破片が再び現れた。そして再び、あのペンキを塗られた木の標示板、土産物屋、有刺鉄線の間にいた鳥、再現された銃殺用の壁、死の作用とそれから経過した時間によってひび割れたまさに現実的な地面、監視塔の窓、地獄を告げる空き地の片隅、電流が流れる二つの柵の間にある土の道、バラックの扉、樺の林に生える木々のいくつかの幹と高い枝、第五死体焼却場の正面に生える帯状の野の花、人間の灰で満ちた池が現れた。いくつかのイメージ、それはこのような歴史にとってはまったく取るに足りないものだ。だが、私の記憶にとってこれらのイメージは、たった一本の木の幹にとっての、いくつかの樹皮の断片のようなものである。つまり、皮膚の断片であり、すでに肉なのだ。

フランス語の「*écorce*（樹皮）」という単語は、語源学者たちによれば、「皮のコート」を意味する帝政ローマ期ラテン語の *scortea* がもとになっていて、中世に出来上がった単語である。この語源は、まるで次の事実を明らかにするかのようだ。つまり、試しにイメージを一枚の樹皮と考えるなら、一つのイメージが一枚のコート――衣装、ヴェール――であると同時に一枚の皮膚、すなわち命をもって現れる表面、苦痛に反応し、死へと定められた表面になるのである。古典ラテン語は、貴重な区別を生み出していた。つまり、一つではなく、二つの樹皮が存在しているのだ。まず表皮、*cortex*（外皮）がある。それは、直接に外へさらされた木の部分であり、まさにそれが切られ、最初に「剝がされる」のである。この単語の印欧語の語源――それは、サンスクリット語の *krtih* と *krttih* という語に見いだされる――は、皮膚を表すと同時に、それを傷つけたり採取するナイフを表している。この意味で樹皮は、最初に傷つけられ、切り傷をつけられ、切り取られ、切り離される物体の第一の部分を指しているのだ。

ところが、まさに樹皮が幹と密着するところで――いわば真皮である――、ラテン語は別の単語を考え出していた。それは、第一の単語のまさに別の面を示している。つまりそれは、*liber*（内皮）という単語である。この単語は、*cortex* そのものよりも筆記の材料として使いやすい樹皮の部分を指している。（一一）したがってこの単語は、われわれの記憶の切れ端を書き込むのにまさに必要なものに、必然的に名前を与えているのである。それは表面でできたもの、木から切り取られ、採取された繊維素の断片でできたものであり、そこに言葉とイメージが集まってくるのだ。それは、われわれの思考から落ちてくるもの、書物と呼ばれるものである。（一二）そしてそれは、われわれが皮を剥ぐ行為から落ちてくるものであり、ともにモンタージュされ、フレージングされるイメージとテクストの表皮である。

（二〇一一年七月）

（一）サミュエル・ベケット『サミュエル・ベケット短編小説集』片山昇／安藤信也訳、白水社、二〇一五年、二二三頁。

（二）「死体焼却場」と訳した「crématoire」は、ガス室と死体焼却炉を備えた施設である。

（三）「カナダ」は、被収容者から奪った物品の倉庫であり、「メキシコ」は、ビルケナウの第三区画の名称である。

（四）ジョルジュ・ディディ＝ユベルマン『イメージ、それでもなお——アウシュヴィッツからもぎ取られた四枚の写真』（橋本一径訳、平凡社、二〇〇六年）の一五一〜一五四頁を参照。

（五）同書の一四九〜一五一頁を参照。

（六）「掩蔽施設（Bunker）」は、ビルケナウでは、農家を改造した「ガス室」を指していた。ラウル・ヒルバーグ『ヨーロッパ・ユダヤ人の絶滅』（前掲書、下）の一六一頁を参照。

（七）ジョルジュ・バタイユ「花言葉」『ドキュマン』江澤健一郎訳、河出文庫、二〇一四年。

（八）ヴァルター・ベンヤミン「発掘と追想」岡本和子訳、『ベンヤミン・コレクション6——断片の力』浅井健二郎編訳、久保哲司ほか訳、ちくま学芸文庫、二〇一二年、一九九頁。

（九）同書、同頁。

（一〇）同書、二〇〇頁。拙訳で「断片構成的《ラプソディ》」と訳した「rhapsodique」は、この訳書では「特性描写的《ラプソーディシュ》」と訳されている。

（一一）ラテン語の「liber」は「靱皮」を意味している。靱皮はかつては筆記の支持材として用いられ、その繊維は和紙などの原料となっている。また、この単語は「書物」も意味している。そして、外皮（cortex）もまた、筆記の支持材として用いられていた。

（一二）フランス語の「書物（livre）」の語源は、ラテン語の「liber」である。

暗闇から出ること

パリ、二〇一五年八月二四日

親愛なるネメシュ・ラースロー様

あなたの映画『サウルの息子』は怪物です。必要な、一貫性のある、有益な、無垢な怪物です。極めて危険な、美学的で説話的な賭けの成果です。まさに現実のビヒモス[1]を対象とする映画、つまり一九四四年にアウシュヴィッツ＝ビルケナウの閉鎖空間で生じたナチの絶滅機械を対象とする映画が、「フィクション」という名でわれわれが毎週のように映画館でいつも見いだす物語と比べて、どうして怪物でないことがありましょう。あなたの映画は、フィクションとは別物でしょうか。もちろん、そんなことはありません。しかし、このフィクションは、自らが扱う非常に特別な歴史的現実と、つつましく、そして同様に大胆に同調しているのです。そのため、このフィクションを見いだすのが試練となります。上映の間、暗い映画館の客席から見ていて、目を閉じたくなったわけではありません

1　非常に早い時期に、ナチズムは、レビヤタンと対になったこの聖書の怪物にたとえられた。Cf. F. Neumann, *Béhémoth. Structure et pratique du national-socialisme* (1942), trad. G. Dauvé et J.-L. Boireau, Paris, Payot, 1987〔フランツ・ノイマン『ビヒモス——ナチズムの構造と実際 1933-1944』岡本友孝ほか訳、みすず書房、一九六三年〕.

が、映画のなかであなたが明るみに出したすべてのことが、どんなにつかの間であろうとも暗闇へ戻ってほしいと思いました。映画そのものに、一瞬だけまぶたを閉じてほしいと思ったのです（何度かそれは起こりましたが）。ショットからショットにわたって、私の息を絶え絶えにさせたもののなかで、息をする、少しだけ息をつく空間や時間を、この残酷さのただなかで暗闇が私に与えてくれるとでもいうかのように。こうして明るみに出すことは、実際、なんという試練なのでしょうか！　この一群のイメージ、あなたの物語にたゆまずリズムを与えるあの音の地獄は、なんという試練なのでしょうか！　しかし、それはなんと必要で豊穣な試練であることか！

他の多くの人々のように、私はいくらかの予備知識——もちろんそれは、不備のある知識なのですが、誰もがそれを運命づけられています——をもって映画館に入りました。その予備知識は、あなたの物語（映画による）が扱っている物語（歴史的な）に関係しています。つまりそれは、ナチによる死の機械であり、特務班員がそこで果たした役割です。特務班は、ユダヤ人の囚人で形成された特別班で、その恐ろしい仕事は、映画の始めでは、彼らを *Geheimnisträger*、つまり「秘密保持者」という表現で定義する字幕で控え目に示されています。あなたの物語（あなたのフィクション）は、暗闇から出ていきます。つまり、あなたの物語そのものがこの秘密を「保持している」のですが、しかしそれを保持しながら光へといたらしめるのです。あなたの物語は、アウシュヴィッツ＝ビルケナウの特務班員が苦しむ残酷極まる運命の物語に（その現実に）、端から端まで捧げられていきます。この映画には、原資料、証言で裏打ちされず、そこから直接に取り出されていないショットは一つもありません。その原資料の筆頭となるのが、あの途轍もない秘密の手書き文書ですが、それについてあなたは、二〇〇一年に出版された『ショアの歴史雑誌』特別号に「灰に埋もれた声たち」という題で掲載されたものを見つけた、と仰っています。[2]

あなたと同じ原資料を一通り知っていたにもかかわらず、あなたの映画のイメージや叫び声は、私を無防備に、身を守る知識のない状態にしてしまいました。それらのイメージや叫び声は、さまざまな仕方で私の喉を締め付けたのです。まず、あなたに告白しなければならないのですが、私は、なにかもっとも古く、そしてもっとも耐えがたい自分の悪夢のようなものを、自分の正面に再び見た思いがしました。そのなかには、個人的なものはまったくありません。なにか現実がもつ構造のようなものをわれわれに露わにするのが、悪夢の力そのものなのです。そして悪夢の構造をわれわれに露わにするのが、映画の力そのものであり、現実そのものが、たいていはその悪夢の構造によって織り上げられているのです。私は思わず、あれらの状況のことを考えています。それは、あなたが物語ってい

2 『ショアの歴史雑誌（*Revue d'histoire de la Shoah*）』第一七一号、二〇〇一年（「灰に埋もれた声たち。アウシュヴィッツ＝ビルケナウの特務班員たちによる手書き文書」）。

る——そしてまずは、フィリップ・ミュラーやプリーモ・レーヴィといった生存者が立証した[3]——現実を生み出していた状況、誰も休まるときがない状況です。そこでは生のあらゆるエネルギーが、創意、策略、決断力、執拗さの能力を備えていようとも、そしてもっともあり得ない機会を捉えるその才覚を備えていようとも、要するにそれらすべてが、それでも死刑宣告へと通じていたのです。

＊

あなたは、ある対談で、「われわれのただなかにあいた黒い穴《ノワール》」としてショアに言及しています。ということは、あなた自身が自分の悪夢の洞穴に回帰して、その穴が、その暗闇《ノワール》がなにでできているのかを見に行ったとしか思えません！　したがって、あらゆる良き考古学者のように、あなたは自分の悪夢を念入りに考証したのです。そうしてあなたは、ビルケナウの〈第五死体焼却場〉にいた特務班員が、一九四四年八月に撮影した四枚の写真について語っています——そしてそれは、地面に埋められた手書き文書に関してあなたが行った読解と完全に一貫しています。これらのイメージは、あなたの「記憶にとてつもなくこびりついた」とあなたは仰っています。なぜなら、「それらのイメージは、本質的な問いを提起しているからです」、とあなたは明言しています。私は、まさにあなたと同じ意見を抱いていて、約一五年前に、それらの問いのいくつかを述べようと試みたのです。[4]

あなたのようにイメージに関わる人は、これらの写真の力——しかし、まさにそれはかくも弱々しいものです――に敏感にならずにはいられません。私は、あなたもまた、次のような問いを自問したと推測しています。つまり、このような状況がはらむ恐怖の全容とはどのようなものなのか（一方では、ガス室の特務班が引き出したばかりの遺体が、外の穴のなかで燃えています。もう一方では、裸の女性たちが、次の大量ガス死のために死へと追い立てられています）、決断の切迫性は（そこから視覚的な証拠を引き出すために手はずを整えることは）全体的にどのようなものなのか、そして撮影の実行に特有な危険の全体とはどのようなものなのか（実際のところどのようにして、SSから見られるという死の脅威のもとで、自分の写真機を入れ物か

3　F. Müller, *Trois ans dans une chambre à gaz d'Auschwitz* (1979), trad. P. Desolneux, Paris, Éditions Pygmalion-Gérard Watelet, 1980. P. Levi, *Les Naufragés et les rescapés. Quarante ans après Auschwitz* (1986), trad. A. Maugé, Paris, Gallimard, 1989, p. 49-60〔プリーモ・レーヴィ『溺れるものと救われるもの』竹山博英訳、朝日文庫、二〇一九年〕.

4　G. Didi-Huberman, *Images malgré tout*, Paris, Les Éditions de Minuit, 2003〔ジョルジュ・ディディ＝ユベルマン『イメージ、それでもなお』前掲書〕. それらの写真の撮影者は、数少ない生存者が伝えてくれたように、ただ「アレックス」というあだ名で知られていたが、この本が出版されてから、おそらく誰であるのかが特定された。それはおそらく、ラリサで一九一三年一月一五日に生まれたアルベルト・エレラである。彼は、ギリシアのレジスタンスにおける活動的な成員であった。彼は、一九四四年三月二四日から二五日にかけての夜に逮捕されて、四月九日にアウシュヴィッツ＝ビルケナウの強制収容所に送られ、ビルケナウの〈第五死体焼却場〉の特務班で「火夫」(*Heizer*) に選ばれた、つまり炉の係となったのである。彼は、囚人による蜂起の準備において決定的な役割を果たした。

ら取り出し、このような地獄のなにものかをフレームに収めるために、その写真機を自分の目にあててかまえるのだろうか）——そのあとで、あれらの四枚の写真、ほんの小さなコンタクトプリントに集められて今日われわれに残された写真の表面に、どのようにしてそれらすべてがイメージとなって沈殿するように策を講じるのか。それは、部分的で欠落のある、つまりとても貧しい沈殿物です。しかしそれは極めて衝撃的な、計り知れない沈殿物です。それは視覚的な沈殿物であり、そこでは影と光、黒と白、明瞭なものと不鮮明なものが、あの状況を、あれらのイメージがその「残存物」として現れる状況を、直接的に立証しているのです。

おそらくショアとは、根本的に「われわれのただなかにあいた黒い穴」なのです。しかしそれは、われわれに決定的な回答を与えるどころか、解決されない一連の問いの全体を広げてみせるだけです。まずは、この「黒い穴」の前で、この「黒い穴」とともになにをなすべきかを知るという問い——美学的で倫理的、心理的で政治的な問い——があります。実際のところ、なにをなすべきなのでしょうか。「黒い穴」がわれわれを内側から、無言で、絶対的に蝕むがままにしておくのか。あるいは、そこへ立ち返ろうとして、それを見つめる、つまりそれに光をあてて、暗闇から連れ出そうとするのか。われわれは、第一の態度が招く哲学的な、さらには宗教的な安易な手段を知っています。つまり、「黒い穴」を「至聖所」へと、近づき得ず、接触できず、想像できず、形象化できない幻想的な空間へと変えることです。暗闇の支配を神聖視することです。それはテオドール・アドルノが、「根源的な」

と呼ばれる芸術（*radikale Kunst*）の特権的な徴として、「黒《ノワール》の理想」（*Ideal der Schwärze*）を考察しながら言おうとしていたことです。この考察は、マレーヴィッチによるシュプレマティスムの絵に始まり、アド・ラインハートの黒いモノクロームの絵、さらに映画では、ギ・ドゥボールの映画『サドのための叫び』における黒い無言のショットにいたります。

この「黒の理想」は、アドルノによれば、アウシュヴィッツという「黒い穴」、そして一九四五年以後も実際にはけっして止むことのなかった虐殺という「黒い穴」に対して、視覚芸術が与えることができた応答として現れます。「芸術作品は、現実のもっとも極限的でもっとも暗い様相のただなかで生き残るために、慰安役として販売されたくなければ、それらの様相に似なければならない。今日、根源的な芸術は暗い芸術、根本的な色彩としての黒の芸術を意味している。現代の作品で、この事実を尊重しないもの、色彩を幼稚に楽しんでいるものは数多くある。黒の理想は、内容面で言えば抽象化のもっとも深遠な衝動の一つである」。そしてアドルノは、こう結論づけます。「黒の理想がもたらす方法の貧困化は、たとえどんな即物性ももたらさないとしても、書かれたもの、描かれたもの、作曲されたものを同様に貧困化していく。今日のアヴァンギャルドは、この貧困化を沈黙の瀬戸際まで（*am Rande des Verstummens*）推進するのだ[5]」。

5　T. W. Adorno, *Théorie esthétique* (1959-1969), trad. M. Jimenez, Paris, Klincksieck, 1989, p. 62〔テオドール・W・アドルノ『美の理論』大久保健治訳、河出書房新社、二〇〇七年、七〇～七一頁〕.

ところがあなたは、親愛なるネメシュ・ラースロー、あなたは根源的な黒も、根源的な沈黙も選びませんでした。あなたの映画は恐ろしく不純で、音響的で、色彩を帯びています。そこではすべてが動いていて、切迫していて、不明瞭から明瞭へ、そしてその逆への移行過程にあります。あらゆる言語による対話、罵言、加害者と犠牲者の混ざり合った叫喚、憔悴した呼吸音、それらすべてが恐ろしい音響的な大渦巻を生み出しています。身振りもまた、地獄のような仕方で混ざり合っています。恐怖の身振りと意志の身振りが一緒になり、服従の身振りと抵抗の身振りが同時に生じ、エゴイズムの身振りと感情移入の身振りが代わるがわる生じます……。そして最後に、あなたがわれわれに見せるこの地獄は、色彩をおびた地獄なのです。まさに亡くなったばかりの人々がおびる色合い、サウルの顔の色合い——ずっと前から死んでいるような——、特務班員の背中に描かれた大きな十字の血のような赤色、煙と人間の灰がおびた灰色——その灰色は、あの一九四四年秋の樺の森がたたえる緑と強烈な対照をなしています——が現れています。そしてもちろん、炉にくべられる石炭の、そして当然のように、閉ざされるドアの黒い色もあります。

ですから、あなたは黒を忘れることはありませんでした。しかし、それを抽象化の外へと連れ出したのです。まるで光をあてて解明するかのように——それは「まったき光」ではありません、なぜなら、不可侵の真理の楽園にいるのでなければ、光はけっして「まったき」ものではありえないからです——、あなたに取り憑いていた「黒い穴」に一、つ、の、光、を、あ、て、て、い、る、のです。つまり、「黒い穴」を見つめながら、それを視覚的に外へと繰り広げながら、一つの光をあてているのです。さて、きっとあなたは、一九四四年に撮影された写真の白と黒においても、すでに事情は同様であったことにまさに気づきました。「アレックス」が、ガス室の闇に身を隠して、カメラを取り出し、ドアの戸口から見える外で人体が燃えているのをフレームに収めようとしたとき（図1）、彼はわれわれに二重の証拠

図1　撮影者不詳（アウシュヴィッツの特務班員、おそらく「アレックス」と呼ばれたアルベルト・エレラ）、《アウシュヴィッツ第5死体焼却場のガス室前で、毒ガスで殺害された遺体を露天の焼却用の穴で焼いている場面》1944年8月。オシフィエンチム、アウシュヴィッツ＝ビルケナウ国立博物館（ネガ278番）。

を残しました。それは、閉ざされた空間によって形成された暗闇の証拠、あるいは影の証拠です。その空間とは、殺害が行われた空間であり、そしてレンズの助けを借りて、まさに自分自身の視線の権利を行使するために、彼自身が他者の視線から避難した——そのとき奪い取った数秒のあいだだけ——空間でした。しかし、それはまた光の証拠、すなわち、ナチが絶対に見えないものにしようと、人々にとって信じがたいものにしようとした事実を、万人に見えるようにするための典型的な写真行為なのです。

図2　ネメシュ・ラースロー『サウルの息子』2015年。映画の場面（薄暗がりのなかにいる「撮影者」）

図3　ネメシュ・ラースロー『サウルの息子』2015年。映画の場面（「撮影者」が見ている光景）。

あなたのフィクションにおいて、あなたは——知られている状況の一部の要素を使用するために修正しながら——そのようなエピソードを演出しています。薄暗がりにいる盗撮者（図2）とドア枠の先に彼が見ているもの（図3）の切り返しショットを通じて、抵抗行為とみなせるあの写真行為の焦点そのものを、そうしてわれわれは

図4　撮影者不詳（アウシュヴィッツの特務班員、おそらく「アレックス」と呼ばれたアルベルト・エレラ）、《アウシュヴィッツ第5死体焼却場のガス室へ追いやられる女性たち》1944年8月。オシフィエンチム、アウシュヴィッツ＝ビルケナウ国立博物館（ネガ283番）。

見ることができるのです。あなたの演出において、たとえ風が、燃える人体からでる煙を撮影者のほうへ押しやって、そのためイメージが欺かれたように不鮮明になり、多かれ少なかれイメージを「失敗」させる結果が生ずるとしても、そのことに変わりはありません（いずれにせよ、そのときＳＳがやってきて、サウルはカメラを隠さざるを得なくなります。したがって、イメージは失われるのです）。同様に、一九四四年の「不鮮明な」写真（図4）に固有の切迫感は、多くの切迫したショットに、それ自身に応えるものを、美学的な「応唱」を見いだします。それらのショットに

図5　ネメシュ・ラースロー『サウルの息子』2015年。映画の場面（死体焼却場から外に出るサウル）。

よって、あなたの映画は状況の危険性を物語っています。たとえば、反乱が生じた脱衣場から反乱が繰り広げられていく屋外へと、サウルが暗闇から外に出ていくときに（図5）。

＊

暗闇から出ていくイメージ、それは陰と不明瞭さから出ていって、われわれと出会うイメージです。まさにそれが、あなたの映画の最初のショットで生じます。字幕が、特務班の存在条件をわれわれに要約し終えた直後に――「特務班員は、収容所の他の人々から遠ざけられている。彼らは、数ヶ月のあいだ働いた後で殺害される」――、スクリーンは、長く感じられる数秒間、黒い無音のままとなります。そのとき音が、世界でもっとも無害な音が聞こえてくるのです。それは、なんらかの自然な環境、森と思われる場所で鳴く鳥の音声です。それは、鳥の飛翔の無垢と自由さを表す典型的な音声です。その音声がまだ聞こえているあいだに、イメージは暗闇から出てきて、青々としているけれども完全にピントがぼけた、不明瞭な風景に光が生じてきます。それでも左に二つの木の幹が、そして地面に、ぼんやりとですが動いている暗い色の染みのようなものが見えます。その空き地、そしてその奥にみえる樹林の緑が、イメージの全領域に広がっています。

緑ですが、しかしすでに希望なき緑です。強烈な警笛の音が鳴り響きます。あいかわらずピントがぼけた風景に、一つの人影が、二人を伴って現れて、早足でカメラに近づきます（図6）。そして突然、サウルがそこに、われわれの前に、そこに完全に現れるのです。クローズアップになった彼の顔が。美形ですが、打ちのめされ、疲弊して、感情のない顔が（図7）。私は、この顔の明瞭さが、近すぎること（そうなれば見えなくなって、黒くなるでしょう）と遠すぎること（緑色の不明瞭さのなかで）の間で、つかの間の均衡状態にあるように感じています。もう一つの顔が、この接近した空間でサウルの顔と交差して言います、「さあ行こう」と。ドイツ語で命令が叫ばれています。出発は、非常に唐突に、即

図6　ネメシュ・ラースロー『サウルの息子』2015年。映画の場面（冒頭のショット。近景）。

図7　ネメシュ・ラースロー『サウルの息子』2015年。映画の場面（冒頭のショット。近景）。

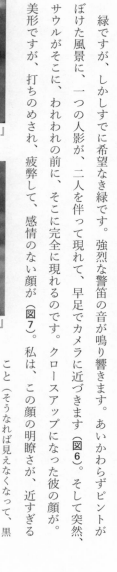

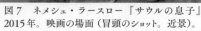

座に行われます。そのときカメラは、不意を突かれたようになって、すでに歩き始めたサウルの後ろへと遠ざけられます。彼の上着の背に描かれた大きな赤い十字が見えます。経験される恐怖と強要される恐怖が混ざり合った叫び声が、だんだんと大きな音で聞こえてきます。そしてわれわれは、特務班の作業班が、数十もの家族を――ある意味では、彼ら自身の一族を――ガス室へ追いやっているはずだと理解するのです。悪夢は始まったばかりです。サウルに関しては、つかの間その無表情な顔を見ただけです。私は、プリーモ・レーヴィのあの文章をまた思い返してしまいます。「そしてわれわれには、恐怖を抱く時間がないばかりでなく、その場所もないのです」[6]。

したがって、暗闇から出るイメージが、われわれと出会いにやってきます。われわれがそこに見ているものが、われわれを本当に見つめて関係《ルギャルデ》を結ぶことができるように、つまりなんらかの方法でわれわれに触れることができるように、そのイメージは現れます。どんな方法で触れるのでしょうか。その方法は、おそらく無数にあります。愛撫からひっかき傷、あるいは与えられる接吻から他人になされる殴打にいたる無数の方法があるのです（そのあいだに、他の可能性のなかでも特に冷たい握手があって、甘んじて「事実確認的」になったイメージが、しばしばそのような握手を示しています）。どうすれば、傷つけずに触れることができるのでしょうか。またその逆に、どうすれば偽善なしに、つまり神経を逆なでしないだけで満足せずに触れることができるでしょうか。親愛なるネメシュ・ラースロー、あなたの映画は、ある触覚関係を観客とのあいだに確立していて、それが演出のリアリズムに根本的な問題をたゆまず――つまり、ショットが流れゆくたびに――突きつける方法となっているのです。あなたは、想像不可能としばしば形容される歴史的事実に対して、あるリアリズムを構築する危険を冒しました。どのようにそれを行ったのでしょうか。ヴァルター・ベンヤミンが哲学的批評そのものについて語っていたことを、美学的リアリズムについてまずは言うことができないでしょうか。彼は「一方通行路」において、次のように書いていました。批評は、「適切な距離の問題である（*Kritik ist eine Sache des rechten Abstands*）。批評が本来住んでいる世界とは、まさに遠近法的眺望と全体的眺望（*Perspektiven und Prospekte*）が重要となる世界であり、そこではまだ、一つの視点（*Standpunkt*）をとることができるのである」[7]。

自分に課されたリアリズムの問題を前にして――想像上の地獄よりも、実在した地獄を表すほうがずっと難しいと思います……ですからあなたは、ジョットやヒエロニムス・ボスよりも困難な務め

6　P. Levi, *Si c'est un homme* (1947), trad. M. Schruoffeneger, Paris, Julliard, 1987 (éd. 1993), p. 136〔プリーモ・レーヴィ『改訂完全版　アウシュヴィッツは終わらない――これが人間か』竹山博英訳、朝日選書、二〇一七年、一六四頁〕.

7　W. Benjamin, *Sens unique* (1928), trad. J. Lacoste, Paris, Maurice Nadeau, 1978 (éd. 1988), p. 205〔ヴァルター・ベンヤミン「一方通行路」『ベンヤミン・コレクション3――記憶への旅』浅井健二郎・久保哲司訳、ちくま学芸文庫、一九九七年、一〇八頁〕.

を果たしていたのです――、あなたは毅然として「一つの視点をとりました」。それは、ベンヤミンが語っていたように、「遠近法的眺望」「全体的眺望」「適切な距離」という並立的な問題に対して態度を表明したということです。一方であなたは、映画のそれぞれのショットの焦点を、見事なドキュメンタリー的正確さへと集中させました（話される諸言語、行われる身振り、色彩、建築的要素、特務班内の社会的関係、日々の作業、地獄のようなリズム、などなど）。その一方であなたは、同様に焦点距離を問い直さねばならないことを理解したのです。ですからあなたは、「適切な距離」を探し求めながら、最後には距離を弁証法化しました。これが、あなたの作品におけるもっとも驚くべき映画的特徴です。

あなたは、どのようにそれを行ったのでしょうか。まずあなたは、一九四四年八月の四枚のイメージという写真の遺品を尊重したようです。あなたのフィクションにおいて、さらにわれわれは、反乱を準備する二人の特務班員の短いやりとりを目撃します。一人は、遅らせることなく行動に移りたいと望み――なぜなら班そのものが、まさにSSによって処分されようとしているからです――、もう一人は、毅然として「まず写真を撮るのが先だ」と彼に答えます。まるで、死という結果を定められた蜂起を越えて、いつか生存者の世界にイメージが届くべきであるかのように。親愛なるネメシュ・ラースロー、あなたご自身が次のように仰っています。「情動に触れる」には、デジタル的な明瞭さの様式を捨て去って、銀塩媒体の写真的な物質性に戻り、たった一つのレンズ（四〇ミリ）を使い、狭いアスペクト比（したがって、通常の「シネマスコープ」とは正反対のもの）で満足しなければならなかったと。「撮影監督のエルデーイ・マーチャーシュとともに［……］映画のすべての段階で、三五ミリの銀塩フィルムと光化学的なプロセスを利用したいと思っていました。それは、イメージにおいて不安定さを維持するための、つまりこの世界を有機的に撮影するための唯一の方法でした。その争点は、観客の情動に触れることでした――デジタルでは、そんなことはできません。こうしたことすべてには、できるだけ素朴な、漠然と広がる光が必要でしたし、同じレンズ、四〇ミリで、視線を遠ざけるシネマスコープではなく、つねに人物と同じ高さでその人の周りにいるような、狭いアスペクト比で撮影しなければなりませんでした」[8]。

こうして『サウルの息子』は、その演出法が綿密に下準備したリアリズムそのものに対して、最後には視覚的に異議を申し立てています。映画冒頭のショットにおいてすでに検討したように（図6－7）、それは焦点距離、したがって被写界深度を通じて生じます。さて、問題は、美学的選択として明確化すべきものである以前に、現象学的問題なのです。つまり、いったいどんな人が、人間的な高さで、そして人間的な距離から、全景ショット、すべてが明瞭となるショットで絶滅収容所を見つめたいなどと思えるでしょうか。監視塔に配置されたＳＳだけが、そのような視覚的な被写界深度、高

8　A. de Baecque, «Entretien avec László Nemes», *Le Fils de Saul*, Paris, Ad Vitam, 2015, p.7〔「ネメシュ・ラースロー監督インタビュー」『サウルの息子』（パンフレット）、ファインフィルムズ、二〇一六年、六頁〕.

さ、つまりまさになにも人間らしく見ないですむ高さを手に入れたいなどと思うことができるでしょう。『シンドラーのリスト』におけるおぞましい場面が、まさにそのような観点で作られていたことが思い出されます。その場面でＳＳの将校は、撮影現場にいるセシル・Ｂ・デミルのように、愛の巣がある高みからパノラマ的な視界で収容所を見つめて、ただ少し楽しむために、何人かの囚人を照準器付きのライフルで射殺することができたのです。しかしビルケナウでは、事態はまったく異なっているため、あなたは次の明白な事実から出発しました。つまり、恐怖に包まれたそのような空間で唯一可能な眼差しとは、短い距離で短い時間しかつづかない眼差しなのです。それは、通りすがりに死を目にしなければならない眼差し、それからすぐに地面に目を下ろさなければならない眼差しです。

ですから、暗闇から出てくるイメージは、それ自身の触覚的な限界を特徴としています。そのイメージがはっきりと現れるときには、厚み――被写界深度――はごくわずかです。明瞭な領域は、薄片のようです。その領域は、視覚空間における切断面ですが、それが有効な間隔、切断面の場は極めて薄いものです。確かに、恐怖ははっきりと際立っています。しかし恐怖は、あたり一面で不明瞭でもあります。たとえば、聞こえてくる叫び声、ピントがぼけた状態で見えるあれらの身体――恐怖で取り乱した、あるいはすでに死亡した身体――のように。絶え間ない切迫状態の感覚、なにか他のものへ向かって常に走らざるを得ない状態もまた、不明瞭です。それらは、一九四四年のあれらのイメージのようにピントがぼけたイメージです――とはいえ、けっしてそれらを模倣しようとはしていませんが――。なぜならそれらは、けっして「棒立ちした」イメージではなく、常に動いていて、見るべきものの前で、せいぜい数秒しかけっして立ち止まらないイメージだからなのです。なぜなら、そのような行為は禁じられているか、またはある障害が介在するか、あるいは新たな危険が逃げ出すことを強いるからです。

イメージは暗闇から出てきます。それはそのとき、パニックとしてのイメージなのです。不明瞭さは不注意の印ではなく、観察力の不足でも、さらには事態を正視することへの単なる拒否でもありません。それは、恐怖を伝える視覚的な伝達手段なのです。『サウルの息子』におけるカメラの運動は、恐怖が生じる流れにしたがって恐怖の後を追うために、そしてそれゆえに絵《タブロー》のような場面の、フィックスショットのいかなる美学も拒絶しながら考えられているようです。したがって、この映画を見ていても、一九四四年のアウシュヴィッツ＝ビルケナウにおける「状況の光景《タブロー》」を、われわれは意のままに手にはできないでしょう。この映画は、たった一人の人物の作業、恐怖、狂った決意に付き添うだけです――しかし、それだけでも重大なことです。さて、恐怖というものは距離を歪めてしまうので、しばしば明瞭さと不鮮明さの関係が、近さと遠さの関係を知覚の病のように襲うかのようです。たとえば、遠くから見た（しかし明瞭な）二人の人物が、サウルの背中が画面に入るとぼけてしまって、カメラが物理的には彼らに近づいているのに、遠ざかるようにみえます。サウル――その顔は近くから見られています――が引きずる遺体が、とつぜん極めて遠ざかり、実物よりも小さくみえます（図

図８　ネメシュ・ラースロー『サウルの息子』2015年。
映画の場面（死体焼却場で死体を引きずるサウル）。

8）。パニックとしてのイメージは、暗闇から出るやいなやそのように進んでいくのです。

＊

親愛なるネメシュ・ラースロー、物語の全体が繰り広げられる主な筋書きについて、私はまだなにも語っていません。『サウルの息子』は、ある男の物語を語っていますが、彼は一人の子供をいわば救おうとしています——しかし、それは死亡した子供なのです。遺体の前で、ＳＳの医師が「これを解剖しなさい」と命令するのを耳にしたとき、彼の全存在が反抗的な憤激を抱きました。暗闇から連れ出すこと、したがってそれはサウルにとっては、死んだ子供を是が非でも解剖による解体から救い出そうとすることであり、死体焼却炉という残忍で危険な暗所から彼を逃れさせて、彼が無名の灰となってヴィスワ川に撒かれないようにすることです。暗闇から連れ出すことは、ここでは死者が存在しないことへの抵抗となるでしょう。だからこそ、死者が存在できるように儀式が求められ、正式な

図9　ネメシュ・ラースロー『サウルの息子』2015年。
映画の場面（死んだ子供を収容所で担ぐサウル）。

祈禱が、ラビ〔ユダヤ教の聖職者〕が、そしてとくに尊厳に満ちた埋葬が要請されます。死んだ子供を暗闇から連れ出すこと、これは逆説です。なぜなら、以上のことはすべて、眠るための地面を彼に授けるために試みられるからです。しかし、眠るための地面も、服喪の祈り《カーディシュ》もなく、結局はラビもいないでしょう。子供の名前すら分からないのです。

暗闇から連れ出すことは、サウルという人物にとって、一人の特務班員にとって、そうした狂った決断行為となります。つまりそれは、もはや無数の遺体を引きずる（図8）のを強いられないばかりでなく、たった一人の死者を抱える意志を引き受けることなのです。それは、埋葬できる場所をあらゆる手段を用いて探しながら、一人の死んだ子供を肩に抱えることです（図9）。ここで、サウルの寓意《アレゴリー》が——そして、ほとんどあり得ない彼のフィクションという特異な説話的規定が——始まります。そうしてサウルは、もっとも古い物語《コント》における意味で、一人の登場人物として現れます。同様に、フランツ・カフカやクラスナホルカイ・ラースローの登場人物を考えずにはいられません。物語《レシ》は、それが信じがたいものであればあるほど（死体焼却炉が流れ作業で破壊する無数の人々のなかから一人の死者を探すこと、自分の周りで皆が倒れて死んでいくときに、一人の死者を肩に担ぐこと）、強力なものとなります（物語が、人間の執拗な欲望についてわれわれに語る物事において）。

あなたの物語において、サウルは私には分岐する人間に思えました。他人からと同様に自分からも分岐するのです。彼は自分自身から分岐します。なぜなら、彼はすべてに恐怖を抱いていたのに、もはやなにも恐れていないからです。なぜなら彼は、自分がいる世界の死の規則に完全に服従していたのに、いまや彼の意志は、その世界の流れに立ち向かっているからです。彼は、あらゆる他者の（SSの将校、カポ、上級カポ（*Oberkapo*）、そして彼を利用して、服従させて、殴りつける同志たち自身の）受動的な慰みものであったのに、いまや狂った動機をもつ不屈の勇士なのです。だからこそあなたは、自分がルーリグ・ゲーザを選んだことを――彼はプロの俳優ではなく、アメリカ合衆国で暮らすハンガリー人の詩人です――、あのように語って説明しているのです。「彼においては、顔でも、身体でも、すべてが揺れ動いていて運動しています。彼の年齢を言うことなどできません。彼は若いと同時に老いているのですが、それだけでなく美しいのに醜く、平凡でありながら目立っていて、深みがありながら無感動で、非常に鋭いのに非常に緩慢なのです」[9]。サウルは、自分自身からも分岐していきます。なぜなら、自分の目的を達成するために、彼の根本的な人間性はまさに捨て去られようとしているからです。そうして彼は、まさに溺死から救ったばかりの「背教者」のラビを死なせてしまいます。そうして彼は、特務班員の一人が、「お前は俺たちの命を危険にさらしているんだ」と彼を非難すると、まさにその人物を卑劣に脅そうとするのです（彼を密告すると言って脅迫して）。

そして確かにサウルは、非常に不条理に思えるあの使命のために、ためらうことなく他人の生命を――しかし、なによりもまず自分の生命を――危険にさらしてしまいます。その使命とは、一人の死者を救うことです。まさにその点で、彼は自分自身から分岐するばかりでなく、さらに彼のまわりのあらゆる他者からも分岐していきます。彼と同じ不幸にあえぐ仲間たちは、彼に絶えずこう言っています。「お前はなにをしているんだ」「どこへ行くんだ」と。すると彼は、強制された縦列を乱して、一つの班から別の班へと移動して、境界を乗り越えられない領域で境界を突き抜けるのです。あなたは、彼の違いを指摘するために、「抵抗をするには、いくつもの方法があるのです[10]」と仰っています。彼の仲間たちは死体焼却場を爆破しようとしますが、彼のほうは、息子と呼んでいる――すべての状況からみて、われわれはこの断言に疑いを抱くのですが――死んだ子供を、まさに埋葬したいと思っています。これは確かに、ビルケナウにある死の工場に抗う別の方法になっています。そしてこれは、結もっとも大いなる大胆さを示す振る舞いです。なぜなら、誰も理解できないこの試みにおいては、結

9 *Ibid.*, p. 8〔同書、七頁〕.
10 *Ibid.*, p. 7〔同書、六頁〕.

局のところ全員が彼に反対しているからです。

親愛なるネメシュ・ラースロー、このようにあなたの映画は、まさに絶望の彼方でなにが起こりうるのかを物語っています。この彼方は、いかなる「新たな希望」とも無縁であるにもかかわらず、なにが起こりうるのかを。それはまさに絶望です。サウルは、特務班の他の全員と同様に、かつてプリーモ・レーヴィが「［ナチによる］裏切りと憎しみの絶頂」と呼んだものから逃れることはできません。「ユダヤ人を炉に入れる役目は、ユダヤ人が果たさなければならなかった。ユダヤ人という劣等人種、人間以下の存在は、あらゆる恥辱に服従して、しまいには自分自身を破壊することを示さなければならなかった」[11]。それはまさに絶望です。自分の同宗者のおびただしい数の遺体を、ＳＳが言っていたように塊（*Stücke*）として、死んだ肉の単なる「断片」や「切れ端」のように引きずることを強いられるのですから（図8）。それでは絶望の彼方、さらには絶望からの分岐とはなんでしょうか。亡くなった子供を両腕にやさしく抱き、みすぼらしいぼろ切れで包み、それをすべて肩に担いで、行けるところならどこへでも運んでいくと、ついには究極の絶望的な仕方で、その包みは川へと消えてしまうのです（図9－11）。

それは抵抗の彼方、あるいは抵抗からの分岐ではないでしょうか。未来へ向かう戦闘としての抵抗（蜂起と死体焼却場のダイナマイト爆破の計画）の代わりに、サウルは、過去へ向かう敬意としての抵抗（伝統が望むように子供の遺体を埋葬すること）を提示します。現在と未来における生者たちの社会よりも、現在と過去における死者たちの系譜を好むのです。力の関係（一つの共同体における力関係の駆け引き、作戦、勝者と敗者がそれですが、しかしそこでは全員が「溺れる者」です）よりも、儀式の威厳（ラビ、服喪の祈り《カーディシュ》、戒律に従った埋葬）を選ぶのです。サウルは、仲間たちから命じられた政治的な抵抗運動の任務を、できるだけ綿密に、しかし他人には理解できない下心をつねに抱いて果たそうとします。ですが、彼の目

11　P. Levi, *Les Naufragés et les rescapés*, *op. cit.*, p. 51〔プリーモ・レーヴィ『溺れるものと救われるもの』前掲書、五〇頁〕.

図 10　ネメシュ・ラースロー『サウルの息子』2015 年。映画の場面（死んだ子供を森で担ぐサウル）。

図 11　ネメシュ・ラースロー『サウルの息子』2015 年。映画の場面（川に浮かぶ死んだ子供の体）。

的は明白です。つまり、「俺はラビを見つけなければならない」ということです。それは、このうえなく奇妙な政治的振る舞いです。しかし、アブラハムという彼の仲間が、ＳＳに対する特務班の武装蜂起「計画」を語るときに、彼はそれしか答えられません。そしてアブラハムが、「お前たち二人のせいで俺たちは死んでしまうぞ」と辛辣に彼に言うと、サウルは素っ気なく答えます。「俺たちはもう死んでいる」。

＊

それでは、「俺たちはもう死んでいる」と断言してしまうサウルとは、何者なのでしょうか。あえてそう語る人物、死の深みから語る人物とは何者なのでしょうか。完全に絶望した人でしょうか。まったくそうではありません。なぜならサウルは、そう語ったあとも屈服することなく、まさに反対に「死んだ子供を救う」彼の意志は、そのことで解放されたかのようにまさに再び活発になって、強固になるからです。論理学者や言語学者が、「俺たちはもう死んでいる」というあり得ない命題の無意味さを聞けば必ず言うように、それは狂人の言葉なのでしょうか。確かに、特務班員が強いられた作業は、彼らの何人かを狂人にして、果ては自殺に追い込んだことをわれわれは知っています。あなたが描写したようなサウルの物語は、親愛なるネメシュ・ラースロー、ですから純然たる狂気の構造に従って繰り広げられているようです。それは「ひとりの死者を救うこと」を望む狂気です。そして、自分のまわりでは万事が緊急事にほかならないときに、葬儀の時間をとろうと望む狂気です。そして、あれほど全体主義的で全面的に監視された空間、数知れぬあらゆる死者たちが完全に灰と煙に変わっていった空間のなかで、埋葬の地を見いだそうと望む狂気です。

しかし、あなたの映画を見ているときに私の心を捉えたのは、むしろ一種の正反対の印象でした。確かに私は、サウルの狂気——彼がいる状況という観点からと同様に良識の観点から、そして映画の観客という観点からと同様に彼の仲間たちの観点からみて、それは狂気なのですが——あの狂気が、どれほどまでに物語の構造をもっているのかを感じたのです。それは神秘的な、結局のところ非常に文学的な対象の構造です。間違いなくそれゆえに、この映画に固有なリアリズムの様式は、いかなる自然主義、いかなる厳密な「再現」への意志からも遠ざけられています。したがってサウルは、『謎の男トマ』と『最後の人』のあいだのどこか、あるいは『炎の部分』と『死刑宣告』のあいだのどこかにいるように、私には思えました。私がモーリス・ブランショを連想するのは、ブランショにとっては、まさにあの可能であると同時に変貌した「死の空間」から出発して初めて、フィクションの「作品」がありうるからでもあります。[12] その意味で、ただ一人の死んだ子供を暗闇から連れ出すために、

12　M. Blanchot, *L'Espace littéraire*, Paris, Gallimard, 1955 (éd. 1988), p. 103-209〔モーリス・ブランショ『文学空間』粟津則雄／出口裕弘訳、現代思潮社、一九六二年、一〇七〜二二三頁〕.

サウルがビルケナウの収容所という地獄で行う遍歴、果てしないと同時に制限されたあの旅は、エウリュディケーを救い出すために神話の冥府を旅するオルフェウスの行為を連想させました。それは、ブランショが非常に巧みに描き出した行為です。「オルフェウスがエウリュディケーのほうに向かって降りていくとき、芸術は力となり、その力によって夜が開かれるのである」[13]。したがって、営みをなすことは死の空間へと入り込むことですが、しかしそれは夜が開かれるようにするためです――まさに、夜がわれわれを閉じ込めるままにするためではありません。これこそが、「暗闇から出ること」の典型的に詩的な方法でしょう。

　オルフェウスのように、サウルは死の空間に立ち向かいます。オルフェウスのように彼は、ただ一人の愛する人を暗闇から連れ出すために、自分の命をすべて捧げて、夜が開かれるようにするのです。オルフェウスのように、彼は奇跡的な身振りをしながらも失敗します。サウルの物語は、寓意的な物語、驚異的な古い伝説の要素を、典型的に現代的といえる精神的苦痛と幻滅の要素（アドルノが、アウシュヴィッツ以後の芸術と精神的な生について診断しながら自分なりに表現した意味における）に結びつけている、といえるでしょう――それが、この物語のもっとも偉大な説話的力ですが、それは手の施しようのないその残酷さでもあります。ということは、儀式の務めがもっとも重要になるこの物語、この倦むことなきラビの探索は、ハシディズムの物語《コント》以外の何物でありましょうか[14]。ハシディズムの物語にはいつもラビがいて、救済の儀式を行い、人々を奇跡的に死から救い出すのではないでしょうか。

この物語において、サウルが有罪宣告をされた人（ビルケナウの囚人として、さらにはドイツ帝国のもっとも巧みに秘匿された「秘密保持者」として）であると同時に、自分への有罪宣告から逃れ続けるような人である点は印象的です。彼は、どんなことがあっても生き延びます。彼は、もっとも根本的な死の決意をするときにさえ（それは、炎のなかに投げ込まれる他のユダヤ人たちと一緒に彼が服を脱ぐときです）死ぬことができません。彼は永遠に生き残る受刑者なのです。つまり、奇跡的な存在です。あるいは、伝説的な存在、徹底的に文学的な存在です。ですから、彼の絶え間ない分岐は、驚異的な物語《コント》のようにひそかに構成された物語の構造に由来しているのです。収容所の規則は、いかなる逃げ道も許しませんし、誰もがそれを知っています。しかし、それでは彼はどのようにしてそれでも逃げるのでしょうか、逃亡するのではなく内部へと逃げるのでしょうか。嵐のさなかで台風の目にまっすぐ進み、奇跡的にそこに生き残る場を見いだす人のように。そして、その台風の目という逆説的な静寂から出発して、親愛なるネメシュ・ラースロー、あなたはいくつかのショットを並べていきました——それらのショットは、SSやカポにとっては長すぎるため、写実的な説話の観点からいって、ありそ

13 *Ibid.*, p. 225〔同書、二四〇頁〕.

14 M. Buber, *Les Récits hassidiques* (1949), trad. A. Guerne, Paris, Plon, 1963 (rééd. Monaco, Éditions du Rocher, 1980).

うにないものです――そこではサウルが動きを止め、静かに、憂鬱そうに自分のまわりの世界を見つめるのが見えます。

しかし、この物語においては、奇跡――それは自分自身が生き残り、子供の遺体を無傷のままで守り、まさに収容所の囲いの外へその遺体を救い出すのに成功することです――は非常にひどい幕切れを迎えます。ここでは奇跡そのものが死刑を宣告されているのです。驚異の物語《コント》においては「三つの誓願」や「三つの小箱」というモチーフが列挙されるのに対して、ここでは「三つの失望」や「三つの死」が並びます。それは、残酷な物語です。それでもこの物語は、奇跡とともに始まるようにみえます。子供が毒ガスによる虐殺から生き残り、まだ息をしているのです。しかし、ほんの数秒が過ぎるだけで、ＳＳの医師がその子を殺そうとして顔を手で覆う静かで恐ろしい身振りのなかで、その奇跡そのものが息の根を止められます。しかもサウルの物語は、複数の奇跡を次々に描き出していくようです。その奇跡によって、彼はあるラビを見つけることができて、次に別のラビを、続いてさらに別のラビを見つけることができます。しかし、最初のラビは子供の埋葬に実現性を感じられずに断り、二人目はすぐに殺されてしまいます。三人目はというと、彼は寡黙なラビです。それは、このように見捨てられたユダヤ民族を前にして、彼が神に絶望しているからだろうか、とわれわれはしばし自問します。しかし、そのような理由ではありません。それはまさに、単に彼が嘘つき、偽のラビだからであり、律法、テクスト、もっとも簡単などんな祈禱さえも知らない男だからなのです。

親愛なるネメシュ・ラースロー、ですからあなたは——シナリオの共同執筆者であるクララ・ロワイエと一緒に——フランツ・カフカ派に入ったのです。カフカにおいては、すべてがつねに分岐していきますが、しかしつねに最悪なものにいたります。あなたは、奇跡を行うラビというハシディズムの物語を使って、カフカが異教の神話、たとえばセイレンやプロメテウスの物語を用いて非常に残酷に作り出したものを生み出しました。[15] あなたは、それらの物語を失敗へと導き、さらに悪いことには虚言の疑いへと導きました。まず、なぜサウルはあの子供を「自分の子供」にするのでしょうか。「俺は息子に専念しなきゃならない」と彼は仲間のアブラハムに言います。すると「お前に息子などいない」とアブラハムは言い返します。特務班の他の囚人たちは、彼を「卑怯者」と、「げす野郎」とさえみなします。なぜなら彼は、自分の不条理な使命を達成するためなら、ためらうことなく嘘をつき、謀《はかりごと》をして、人を裏切るからです。なぜならこの「げす野郎」は、まさに執拗に自分のために息子をでっちあげるからです。しかし、いったいなぜなのでしょうか。

映画の最後のシークエンスは、そのことをもっとよく理解させてくれます。サウルは、特務班の蜂

15　F. Kafka, «Le silence des Sirènes» (1917), trad. M. Robert, *Œuvres complètes, II*, éd. C. David, Paris, Gallimard, 1980, p. 542-543. *Id.*, «Le vautour» (1920), trad. C. David, *ibid.*, p. 589〔カフカ「人魚の沈黙」「禿鷹」『カフカ・コレクション——ノート2　掟の問題』池内紀訳、白水Uブックス、二〇〇六年、一三〜一五、一六三〜一六五頁〕.

起に参加しますが、しかし戦ったりはしません。彼は、「自分の息子」――肩に担いだ死の包み（図10）――と自分の近くにいる「ラビ」を連れて逃げることだけに専念します。彼は夢中で走って、なんとか森にたどり着きます。そして子供を埋葬できそうな場所を探します。彼はためらい、また諦めなければなりません。追跡者たちの大声が聞こえてきたので、彼は方向を変えます。そして川の近くにわずかな地面を見つけます。最後の優しい仕草で重い荷物を置きながら、上着を脱いでたたみ、相変わらずぼろ切れに包まれた子供の頭のクッションにします。彼は、単なる枯れ木の切れ端を使って、必死に地面を掘ります。そして「ラビ」に、あれほど待望された服喪の祈り《カーディシュ》を唱えるように命じるのです。しかし、その男は押し黙っています。彼は知らないのです。とにかく彼もまた、夢中で掘り始めます。しかし、ほぼその直後に彼は、森から現れた他の脱獄囚のように川へ逃げ出すでしょう。

こうしてサウルは、再び一人になって「息子」を肩にかつぎます。彼の悪夢――そしてわれわれの悪夢――は、そうして続いていくのです。サウルは、他の逃亡者たちに続いて川に飛び込みます。彼は泳げないか、完全な消耗状態に陥るところです。そして自分の包み、宝物を意に反して手放してしまいます。その包みは、川の流れのままに遠ざかり、水没しそうです（図11）。このイメージを前にして唐突に、ユダヤの歴史を創設した物語、モーセの物語のむごたらしい逆転したヴァージョンが思い浮かびます。つまり、水から救い出されて生き延びる子供に対して、水没する死んだ子供が現れ、一つの民族の聖書における神話的な誕生に対して、その民族全体の現実における歴史的な死が現れる

図12　ネメシュ・ラースロー『サウルの息子』2015年。映画の場面（サウルの微笑）。

のです。子供は水のなかに消えていきます。サウル本人も溺死しそうです。彼は最後の瞬間に「最初のラビ」によって救われます――彼自身が、ヴィスワ川で「第二のラビ」を溺死から救い出したように――、これこそがまさに、この物語において、ラビがわずかな奇跡を起こした唯一の瞬間です。

全員が逃げて森に身を隠します。彼らは木造の小屋を隠れ家――すでに、それが脆い仮の隠れ家であることがわかっています――にします。そこでサウルは、座って放心状態になっています。彼はすべてを失ってしまったのです。自分の服喪の対象も、愛する理由も。彼は、正面にある入り口の枠を見ていますが、実際にはなにも見ていません。しかし突然、幼い少年がゆっくりと現れ、静かに彼を見つめるのです。それは誰なのでしょうか。まさに死そのものから生還した、あの死んだ子供でしょうか。天使でしょうか。サウルは驚愕して、つづいてその子を認識して感謝の念を抱き――この単語（reconnaître）のあらゆる意味において――、この映画に現れる唯一の微笑をとうとう顔に浮かべます（図12）。しかし、この物語の論理

図13　ネメシュ・ラースロー『サウルの息子』2015年。映画の場面（子供が立ち去る）。

が要請するように、奇跡に続いてすぐに奇跡そのものへの反駁がやって来ます。ポーランド人の子供は、意に反してですが、逃亡者たちの隠れ家にＳＳを案内してきたのです。そしてこれが、この映画の最後のイメージになります。小屋に鳴り響く短機関銃の音が聞こえるあいだに、ポーランドの森の深い緑をその子――この生命を宿す者、そして死をもたらす者――が軽やかに駆け抜けていくのです（図13）。

＊

親愛なるネメシュ・ラースロー、こうして最後に私は奇妙な印象を抱きました。つまりあなたは、重大なドキュメンタリー的なお仕事をしながら、ご自分の映画を、ビルケナウにいた特務班の歴史的な再構成ではなく、映画による真の物語に、非常に古いと同時に非常に現代的な文学的伝統から論理を引き出した物語にすることに成功したのです。ですからあなたは、映画において「ドキュメンタリー的な物語《コント》」というジャンルを発明したのではないでしょうか。イメージと歴史にかんするヴァルター・ベンヤミンの非常に深い考察において、まさに彼の心を占めていた主要な範例の二つを、このジャンルはそうして統合しているのです。驚くべきことに、一方でベンヤミンは、ドキュメンタリー型のモンタージュという方法を通じた「長編小説の破裂」――マルセル・プルースト、ジェームズ・ジョイスやアルフレート・デーブリーンにおける――に取り組みました。「モンタージュは、構造的観点と同様に文体的な観点からいって、「長編小説」を破裂させる。そうしてモンタージュは、とりわけ形式面で、非常に叙事的な新たな可能性を生み出すのである。モンタージュの素材はなんでもいいわけではない。真のモンタージュは、現実資料《ドキュメント》から出発するのである（*echte Montage beruht auf dem Dokument*）。〔……〕最良の瞬間には、映画はわれわれをそれに慣れさせようとする。ここで初めて、〔真正さが〕叙事文学の役に立ったのである」[16]。

しかし、その一方でベンヤミンが、非現代的な必要性を、物語の残存をどれほど力強く擁護できたのかが知られています。「物語《コンテ》る技術が失われつつある。経験をやり取りする（*Erfahrungen auszutauschen*）

16　W. Benjamin, «La crise du roman. À propos de *Berlin Alexanderplatz* de Döblin» (1930), trad. R. Rochlitz, *Œuvres, II*, Paris, Gallimard, 2000, p. 192〔ヴァルター・ベンヤミン「長編小説の危機　デーブリーン『ベルリン・アレクサンダー広場』について」『ベンヤミン・コレクション2――エッセイの思想』浅井健二郎ほか訳、ちくま学芸文庫、一九九六年、三四一頁〕.

能力［によって］物語を語れる人々と出会うことはますます稀になってきている」[17]。それでは、物語の技術が過去の冥府のなかに失われたようにみえるとき、そして小説形式がまさにすべての場を占めたようにみえるとき、その今日においてどのようにして経験をやり取りして、伝達すればいいのでしょうか。物語は、ジャーナリズム的な情報からと同様に、小説的な話からも逃れていきます。それは、物語がとてもとても遠くに由来しているからなのです。「物語は、数千年ものあいだピラミッドの部屋に密閉されていた種子に似ているのであり、それらの種子は、今日まで発芽力を保っていたのである」[18]。しかし、なぜこの発芽力がもう見えなくなってしまったのでしょうか。なぜ、物語はわれわれから遠ざかってしまったのでしょうか。ベンヤミンは、人類学的な回答をしています。「それは、死が異なる相貌をとるようになったからである[19] (*muß das Gesicht des Todes ein anderes geworden sein*)」。

それでは、なぜそのようなことになるのでしょうか。なぜなら、人々はもはや死ぬところを互いに見つめ合うことができないからです――ブルジョワ的な安楽さにおいてであろうと、われわれの生活の工業化においてであろうとそうなっていて、ナチがもうすぐ「死の工場」として作り出すものについては、一九三六年にはベンヤミンはまったく考えていませんでした――。「しかし、とりわけまさに死にゆく者においてこそ、人間の知識や知恵ばかりでなく、なによりもまず彼が生きた人生、つまりもろもろの物語を生み出す素材が、伝達可能な形をとるのである。彼が人生の終わりに、内面で一連のイメージが次々に現れるのを見るのと同様に――それは自分個人の幻影であり、そこで彼は、気づかずとも自分自身と出会ったのである——、そうして彼の表情や眼差しに、突如として忘れえぬものが現れる。そしてその忘れえぬものは、その男性に関わったあらゆることに権威を授けるのである。どんなに悲惨な人であろうとも、死を迎えるときには、まわりを取り巻く生者の前でそのような権威を身にまとうのだ。 物語の根源にあるのは、この権威である」[20]。

『サウルの息子』は、この死にゆく者の権威に関してなにか本質的なことをわれわれに語っています。サウル自身が死にゆく者、永遠に死にゆく者です。彼の権威は、孤独であるがゆえに絶望的な系譜の探究を介して、経験を伝えることにあります。いずれにせよ問題は、「サウルの息子」が本当に彼の息子かどうかを知ることではもはやありません。問題は、サウルの意志——固定観念、さらには狂気——を、典型的な死にゆく者の振る舞いとして理解することなのです。その振る舞いとは、息子を作り出すこと、なにがなんでも系譜的な伝達の絆を、それが葬儀の祈禱でとなえられるほんの数語にな

17　*Id.*, «Le conteur. Réflexions sur l'œuvre de Nicolas Leskov» (1936), trad. M. de Gandillac revue par P. Rusch, *Œuvres, III*, Paris, Gallimard, 2000, p. 115〔ベンヤミン「物語作者　ニコライ・レスコフの作品についての考察」同書、二八四〜二八五頁〕.〔ディディ＝ユベルマンは、ベンヤミンの文章の一部を省略して引用している。〕

18　*Ibid.*, p. 125〔同書、二九八頁〕.

19　*Ibid.*, P. 129〔同書、三〇四頁〕.

20　*Ibid.*, p. 130（若干翻訳に手を加えた）〔同書、三〇五頁〕.

ろうとも明確に示すことです。子供がたたかれる幻想や物語がいくつもあります。子供が死にかけている恐ろしい状況がいくつもあります。サウルの——したがって彼の物語の、彼の映画の——権威のすべては、すでに死んでいようとも、一人の子供が存在する状況を、この世界とその残酷さに抗って完全に生み出したことにあります。そのおかげでわれわれ自身が、このむごたらしい歴史の暗闇、この歴史の「黒い穴」から出て行くことができるのです。

訳者解題

暗闇と光の閾で思考すること——ディディ＝ユベルマンの三つのテクスト

1. 三つのテクスト

本書は、ジョルジュ・ディディ＝ユベルマン（Georges Didi-Huberman, 1953-）の三つのテクストを合本している。発表年順に列挙するなら、「場所、それでもなお」『樹皮』『暗闇から出ること』である。これらのテクストに共通する主題は、第二次世界大戦中に起こったナチによるユダヤ人大虐殺である。ディディ＝ユベルマンは、「ショア」や「ホロコースト」と呼ばれるその絶滅の現場、たとえばアウシュヴィッツ＝ビルケナウ強制収容所での虐殺について考察しながら、その歴史の暗闇を想像する試み、そして思考する試みを行っている。

ディディ＝ユベルマンは、美術史家であり哲学者である。現在は、フランスのパリにある社会科学高等研究院の指導教授である。彼は、最初の単著『ヒステリーの発明――シャルコーとサルペトリエール写真図像集』[1]以来、従来の美術史学の領域を超えてイメージ研究を行い、絵画、彫刻、インスタ

1　Georges Didi-Huberman, *Invention de l'hystérie. Charcot et l'iconographie photographique de la Salpêtrière*, Macula, Paris, 1982 [2012]. ジョルジュ・ディディ＝ユベルマン『ヒステリーの発明――シャルコーとサルペトリエール写真図像集』谷川多佳子／和田ゆりえ訳、上下巻、みすず書房、二〇一四年。

レーション、写真、映画、演劇、文学、ダンス……といった多様で広大な領域を横断しながら、独自のイメージ人類学を構築している。その著作は、単著だけでもすでに五〇冊ほどを数えていて、実に膨大である。まさに現在のフランスを代表する思想家といえよう。

彼は、一九五三年六月一三日にフランスのサン＝テティエンヌで生まれた。名字のディディは父方のものであり、父親のマルセル・ディディは、チュニジアのジェルバ島出身の画家である。そして、ユベルマンは母方の姓である。母方の曾祖父はユダヤ教のラビ（聖職者）であった。母方の祖父ジョナスは、ポーランドのワルシャワからフランスのサン＝テティエンヌに移住していたが、第二次世界大戦中に、その妻リフカとともにゲシュタポ（秘密警察）に捕まり、アウシュヴィッツ＝ビルケナウ強制収容所に移送されて亡くなった。[2] 近隣住民の密告が原因であったという。しかし、彼らの娘、つまりジョルジュの母エステルは、友人とその家族、そしてレジスタンス活動家などの助力のおかげで、幸いにもゲシュタポの手を逃れて終戦を迎えることができた。そして彼女は、サン＝テティエンヌでチュニジア出身のユダヤ人マルセル・ディディと出会い、結婚する。そうして生まれたのがジョルジュ・ディディ＝ユベルマンである。彼には姉エヴリーヌ・ディディがいるが、彼女は女優として知られている。

祖父母がビルケナウ（アウシュヴィッツ第二強制収容所）で亡くなった悲劇は、潜在する黒い穴のように、幼少期から彼の家庭に取り憑いていた。その黒い穴は、ユダヤ人大虐殺という問題と対峙することをジョルジュに促したであろう。そしてこの穴は、彼の個人史ばかりでなく人類の歴史に穿たれた黒い穴である。この問題を前にして取り得る立場は、大きく分ければ三つに分かれる。まず、その黒い穴を、表象不可能な暗闇として、不可侵な領域として神聖視する立場である。そして二つめは、黒い穴を白日の下にさらけ出して、暗闇を表象可能性に還元する立場である。そして三つめは、黒い穴から出ながら、さらにはその暗闇を外へと連れ出しながら、絶対的な表象不可能性も表象可能性も教義化することなく、内と外の閾でそれでもなお思考する立場である。思想家としてのディディ゠ユベルマンが選択したのは、この三つめの立場であった。

それでは、この三つのテクストの内容を考察してみよう。

2.「場所、それでもなお」

「場所、それでもなお」(«Le lieu malgré tout»)は、まずは一九九五年に『二〇世紀――歴史雑誌』第四六号に掲載された(*Vingtième siècle — Revue d'histoire*, no 46, 1995, pp. 36-44)。その後、この論文は、

2　ディディ゠ユベルマンの祖父母と両親については、Georges Didi-Huberman, *Pour commencer encore, Dialogue avec Philippe Roux*, Argol, Paris, 2019, pp. 16, 41-53, 66-69, 202 を参照。

一九九八年にディディ＝ユベルマンの単著『ななふし――出現についての試論』(*Phasmes, Essais sur l'apparition*, Minuit, Paris, 1998) に収録された。この『ななふし』は、一九八三年から一九九七年にかけて発表された論文を集めた論集である。拙訳は、その後者を原典としている。

「場所、それでもなお」は、クロード・ランズマン（一九二五―二〇一八）が監督した映画『ショア』（一九八五年）の分析である。この映画の題名である「ショア」は、ヘブライ語で「絶滅」を意味していて、第二次世界大戦中にナチが展開したユダヤ人大虐殺を指している。当初、ナチはヨーロッパのユダヤ人を人種的に隔離して、マダガスカル島に移住させることを計画したが、それは実現しなかった。そのため、ヨーロッパのユダヤ人の絶滅を計画して、各地で集団虐殺を行ったばかりでなく、ドイツ本国のみならずヨーロッパ各地からユダヤ人を鉄道移送して、ポーランド各地の収容所に収容した。それらの収容所の一部は、単なる強制収容所ではなく、被収容者の死を目的とした絶滅収容所であった。たとえば、ビルケナウにはガス室が設置されていて、毒ガス（チクロンB）を用いた大量殺戮が行われていた。歴史家のラウル・ヒルバーグ（一九二六―二〇〇七）によれば、これらの収容所における犠牲者数だけでも約三百万人とされていて、全体的な犠牲者数は約五百万人（あるいは約六百万人）と言われている。[3] ランズマンの『ショア』は、その絶滅収容所からの生存者、収容所があった場所の周辺住民、元ＳＳ（親衛隊）の隊員などのインタビュー映像を集めたドキュメンタリー映画、あるいは「証言映画」である。ランズマンは、当初はイスラエルからの依頼でこの映画の準備を始めたが、最終的にイスラエルは制作に関与していない。[4] 彼は、一九七三年夏にこの映画の制作に着手して、まず三年半にわたって一四か国で予備調査を行い、一九七六年から一九八一年にかけて一〇回の撮影旅行を行って、その膨大なフィルムを編集して一九八五年に映画を完成させた。その上映時間は全体で九時間半にも及ぶ。この映画史に残る記念碑的な名作の特徴は、一貫してそのときの「現在」を撮影したことにある。つまり、かつての記録映像や演出した再現映像をまったく用いずに、生き残った人々の姿と言葉、そして彼らがいる場所をひたすら撮影したのである。

この制作方法の理由は、「ショア」という主題の特異性にあった。この主題の核心には、「表象不可能性」という難問が潜んでいるのである。たとえば、ビルケナウの絶滅収容所には「ガス室」が設置されていた。列車で収容所に到着した人々は、適格者と不適格者に選別されて、おもに子供、女性、老人といった不適格者は即座にガス室に送られた。そうして膨大な人々が、そこで毒ガスによって殺害され、焼却されていったのである。つまりガス室とは、ショアの核心であり、証拠となる場所であ

3 ラウル・ヒルバーグ『ヨーロッパ・ユダヤ人の絶滅』下巻(望田幸男ほか訳、柏書房、一九七七年)の三九七〜四一〇頁を参照。

4 クロード・ランズマン『パタゴニアの野兎——ランズマン回想録』上、中原毅志訳、高橋武智解説、人文書院、二〇一六年、二五九頁。

る。しかし、そこで毒ガスによって人々が命を落とす光景を撮影した映像、証拠映像はまったく残っていない。つまり、殺戮の場面を記録した表象そのものが存在しないのである。そして被害者たちはすでに死者であるため、殺戮の瞬間を証言して、その出来事を表象することもできない。そのため、ショアの核心は表象不可能であるといえる。ランズマンの方法上の選択は、この表象不可能性を核心とする歴史的出来事、歴史の暗闇を問題化することから必然的に導き出された。ショアが表象不可能な歴史の暗闇であるとしたら、その暗闇を再現映像のような人為的映像によって表象するのではなく、暗闇を暗闇として潜在させながら、そこから残された現在、つまり生存者たちの顔と言葉を記録して、かつての惨劇が起こった場所の現在をイメージ化して、今のイメージのなかにかつての暗闇を浮かび上がらせること、ランズマンの方法は、そのような方法を意味している。

そして、表象不可能性という問題は、ガス室の映像に限定されない。そもそもショアという歴史的出来事そのものが、起こらなかった出来事になるように計画されていたのである。ガス室での殺害を示す映像は、たとえ撮影されたとしても最終的には廃棄され、関連書類も破棄される。ガス室の死者はもはや証言することはできない。ガス室の稼働を監視していたSSは証言しない。そうして、この出来事は映像によっても言葉によっても表象されない出来事として構成されていく。さらに、ガス室での遺体の処理をしていた人々がいた。「特務班（ゾンダーコマンド）」と呼ばれた彼らは、被収容者であるユダヤ人から選別されて、移送された人々をガス室へ導き、遺体を焼却する作業を強制されていた。アウシュヴィッツから生還した作家プリーモ・レーヴィが言うように、残酷にも「ユダヤ人を焼却炉に入れるのはユダヤ人でなければならなかった」のである。[5] そして彼らは、まさに虐殺の証人になることができるはずだが、特務班員自身もまた計画的にガス室送りとなり、最終的には証人が残らない計画となっていた（ただし、フィリップ・ミュラーやシュロモ・ヴェネツィアのように、最終的に生き残った人々がいる）。[6] ガス室があった死体焼却場《クレマトリウム》はといえば、他の収容所施設とは別の区画に設置され、さらに垣根などでカムフラージュされていた。そしてSSは、用済みとなった死体焼却場を解体して、あるいは爆破して、関連する証拠を処分していった。また、カモフラージュは言葉にも及び、収容所で

5　さらにレーヴィはこう付け加えている。「ユダヤ人は劣等人種で、人間以下であり、いかなる屈辱にも屈し、自分自身さえも破壊してしまうことを示さなければならなかった」（プリーモ・レーヴィ『溺れるものと救われるもの』竹山博英訳、朝日選書、二〇一四年、五〇頁）。ただし、レーヴィ本人は、ビルケナウではなく、労働収容所であったモノヴィッツ（アウシュヴィッツ第三強制収容所）に収容されていた。

6　ディディ゠ユベルマンは、特務班の運命をそのように定義しているが、ニコラス・チュアとドミニク・ウィリアムズによれば、特務班員の定期的な選別と増員が行われていたのは確かだが、必ずしも全員が定期的に殺害されていたわけではない。経験を積んだ作業員が必要とされていたからである。ニコラス・チェア／ドミニク・ウィリアムズ『アウシュヴィッツの巻物――証言資料』二階宗人訳、みすず書房、二〇一九年、一九頁。また、特務班については、シュロモ・ヴェネツィア『私はガス室の「特殊任務」をしていた』（鳥取絹子訳、河出文庫、二〇一八年）も参照。

は隠語が用いられて、殺戮が直接明言されないようになっていた（たとえば、毒ガスによる殺害は「特別処置」と呼ばれた）。言葉の上でも事実が隠蔽されていたのである。さらに、死者が証言することはできずとも、遺体が、遺骨が大量虐殺の証拠となるはずだ。しかし、その証拠も姿を消していった。遺体は焼却されるようになり、それでも残る遺骨は砕かれ粉々にされた。粉砕した遺骨や遺灰は川や池に投棄され、あるいは道路の舗装材として用いられ、地面に埋められて姿を消していった。死者が存在したこと自体が、そうして無にされたのである。だが、その現場から脱走して、証言者になる人間がいるかもしれない。しかし、この想像を絶する地獄の存在を信じる人々が本当にいるだろうか。[7]あるいは、この常軌を逸した地獄から生還した人々は、苦しみのあまり証言能力を失い、その出来事を語る言葉を失ってしまった。ランズマンは、次のように語っていた。「まず、彼らに話をさせるのが困難でした。彼らが話すのを拒んだのではありません。何人かの人は狂人になっていて、なにも伝達できないのです。とはいえ、彼らはあまりにも極限的な体験を生き抜いたので、それを伝えられなかったのです」[8]。そうしてこの歴史の暗闇は、歴史の無にされようとしていたのである。

しかし、無になるべく構成された出来事も、完全な暗闇ではありえないだろう。それでも証人は生き残り、証言を語る。生き残れなかった特務班員たちも、手書き文書を地中に、灰のなかに埋めて言葉を残していった。「アウシュヴィッツの巻物」と呼ばれるそれらの文書が、収容所解放後に少しずつ発見されている。さらに、言葉でなくとも、ビルケナウの土中に埋められた遺骨の破片は、それでも雨に洗われながら繰り返し地表に現れ続けているという。また、死体焼却場の図面も、焼却を免れて残っている。そして、アウシュヴィッツでは写真撮影が禁止されていたにもかかわらず、実際には多くの写真が撮影されていて、大量の写真が今日まで残っている。さらに、後ほど言及するように、ガス室で殺害された遺体の焼却場面、そしてこれからガス殺される人々などを写した不鮮明な四枚の写真が残されている。ディディ＝ユベルマンが注目するのは、ショアの表象不可能性にもかかわらず、それでもなお残存したもの、すべてを無化する暴力に抗って無の暗闇とならずに残った表象、イメージである。

ディディ＝ユベルマンは、ランズマンの『ショア』にも、そのような残存を見出していた。かつての惨劇の現場は変わり果てて森の一部になろうとも、それでもその場所は残り続けて、過去を潜在させている。「場所、それでもなお」という題名が意味しているのは、そのような事実である。ディディ＝ユベルマンは、とりわけ『ショア』の冒頭の場面に注目する。そこに登場するのは、シモン・スレブルニクである。スレブルニクは、一三歳の少年時代にヘウムノの収容所で遺体処理の作業をしていた。彼は、ソビエト軍到着の直前に銃で処刑されながらも奇跡的に生き延びて、ランズマンが会っ

7　実際に、SSの隊員がそのように語っていたという。プリーモ・レーヴィ『溺れるものと救われるもの』（前掲書）の三〜四頁を参照。
8　クロード・ランズマン「場処と言葉」下澤和義訳、『現代思想』一九九五年七月号、八三頁。

たときにはイスラエルで暮らしていたという。ランズマンは、彼のインタビューをしようとしたが、しかし「彼が私にしてくれた話はとてつもなく混乱していて、私にはちんぷんかんぷんでした。彼はあまりの恐怖のなかで生きたため、押しつぶされていたのです」[9]。そのため、ランズマンはスレブルニクをヘウムノの収容所跡地へ連れて行く決断をする。語り得ぬ記憶を残存させた証人を、過ぎ去った惨劇を潜在的に堆積させた場所と接触させたのである。しかし、その場所はすでに森の一部と化していた。もはやかつての惨劇を思わせるものはほとんどなにもない。消滅した建物の土台らしきものが、かろうじてなにかが存在したことを告げている。だが、スレブルニクは少しずつ言葉を紡ぎ始める。そこで起こった出来事が想像不可能なこと、語り得ないことを告げながら、その変わり果てた場所のただ中で、確かに「ここでした」「この場所です」と彼は語る。つまり、場所はそれでも現在まで残存しているのだ。そして、毎日二〇〇〇人のユダヤ人を焼いていたときも、この場所は「同じように静かでした」「今のように」と彼は回想する。そのとき、現在のスレブルニクのなかで記憶が回想され、彼の姿と言葉のなかで「今」と「かつて」が衝突して、同時に「今」目の前に見えている場所、イメージのなかに、「かつて」の場所が潜在状態で浮かび上がる。そうして、現働的な「今」と潜在的な「かつて」が衝突しながら二重の結晶状態が形成されていく。ディディ＝ユベルマンは、ヴァルター・ベンヤミンが「弁証法的イメージ」と呼んだものをそこに見出すのだ。「弁証法的イメージ」は、ディディ＝ユベルマンがミニマル・アート論である『われわれが見るもの、われわれを見つめるもの』(*Ce que nous voyons, ce qui nous regarde*, Minuit, Paris, 1992) の頃から活用し始めた概念である。弁証法は、対立する二つの極を止揚して総合する思考法である。しかし、弁証法的イメージにおいては、対立は解消されることなく、矛盾状態が矛盾状態としてイメージのなかに出現する。そこで弁証法的矛盾は、解消されて一つになるのではなく、総合の手前で静止状態で現れるのである。そうして「今」と「かつて」は、両義的な葛藤状態で『ショア』に現れるのである。

このように、ディディ゠ユベルマンは、ランズマンの『ショア』を最大限に評価していた。彼はそこに、表象不可能性と対峙しながら、それでもなお表象を試みる可能性、想像不可能性に抗いながら、それでもなお想像する抵抗行為を見出したのである。

3.『イメージ、それでもなお』をめぐる論争

その後、ディディ゠ユベルマンは、二〇〇一年一月にパリのシュリー館で開催された展覧会「収容所の記憶」の図録のために「イメージ、それでもなお」というテクストを執筆した。このテクストは、二〇〇〇年の一月から六月にかけて執筆されて、その展覧会の図録『収容所の記憶――ナチの強制収

9 同書、同頁。

容所と絶滅収容所の写真（一九三三―一九九九）』（*Mémoire des camps. Photographies des camps de concentration et d'extermination nazis, 1933-1999*, Marval, Paris, 2001）に収録された。そしてこのテクストは、大きな論争の引き金となる。クロード・ランズマンは、『ル・モンド』紙（二〇〇一年一月一八日）のインタビューで、この展覧会とディディ＝ユベルマンのテクストに批判的に言及した。[10] それに続いて、ランズマンが編集長を務めた『レ・タン・モデルヌ』誌（六一三号、二〇〇一年）に、エリザベト・パニュの「アウシュヴィッツの写真リポーター」とジェラール・ヴァジュマンの「写真的信仰について」が掲載される。[11] これらの論文は、「収容所の記憶」展を批判しながら、とりわけディディ＝ユベルマンのテクストを痛烈に批判していた。それらの批判に対して、ディディ＝ユベルマンは長文の反論を執筆して、図録に掲載した論文とともに一冊の本にまとめる。その書物が、二〇〇三年に出版された『イメージ、それでもなお』である。[12] その論争の詳細については、同書をお読みいただきたい。ここでは、ディディ

10　« Claude Lanzmann, écrivain et cinéaste : « La question n'est pas celle du document, mais celle de la vérité », par propos recueillis par Michel Guerrin, *Le Monde*, le 18 janvier 2001.

11　Élisabeth Pagnoux, «Reporter photographe à Auschwitz», *Les Temps modernes*, LVI, 2001, nº 613, pp. 84-108. Gérard Wajcman, «De la croyance photographique», *ibid.*, pp. 47-83. ジェラール・バイクマン「写真的信仰について」橋本一径訳、『月刊百科』no. 526-529、二〇〇六年八―一一月、平凡社。

12　Georges Didi-Huberman, *Images malgré tout*, Minuit, Paris, 2003. ジョルジュ・ディディ＝ユベルマン『イメージ、それでもなお――アウシュヴィッツからもぎ取られた四枚の写真』橋本一径訳、平凡社、二〇〇六年。

図 2

図 1

図 4

図 3

＝ユベルマンの論旨を瞥見するにとどめる。

図録に掲載した論文で、ディディ＝ユベルマンは、「収容所の記憶」展で展示されたさまざまな資料のなかから四枚の写真を取り上げていた。それらは、ネガが失われた、四枚の不鮮明なコンタクトプリント（べた焼き）である。その撮影者は、ガス室の遺体処理を行っていた特務班の一人、通称アレックスであった。[13] そのうちの二枚の写真は、ガス室の内部から外を撮影したものである。それは、屋外の穴で大量の遺体を焼却している場面であり、その煙、並べられた遺体、特務班員たちなどが写っている。写真では、その光景を取り巻いて、一見何も写っていない黒い領域が広がっているが、ディディ＝ユベルマンによれば、それは撮影者が身を潜めたガス室の暗闇である。そして残りの二枚は、おそらくノー・ファインダーで撮影されていて、不安定なフレーミングで、一枚はガス室の外の林で待機する裸の女性たち、そしてもう一枚は木々の梢と空を写真に収めている。この最後の写真は、おそらく失敗した写真である（図1～4）。

この四枚の写真は、「収容所の記憶」展の最後の部屋に展示されていた。[14] それらの写真は、けっして初公開の資料ではなく、アウシュヴィッツ＝ビルケナウ国立博物館の収蔵品であり、以前からその存在が知られていた。ただし、写真の不鮮明さを鮮明化するために、トリミングや修正が行われることがあった。[15] 遺体焼却場面の写真では、一見なにも写っていない黒い領域がトリミングによって削除されて、明瞭な可視性をもつ部分だけが残された。あるいは、林の写真の場合も、傾きを修正されて、人物を中心にしてトリミングされた。さらにひどい場合には、女性たちの顔や身体が修正されることもあったという。そして、木と空だけが写った写真は、収容所の実体を明らかにする資料的価値をもたず、役に立たないものとみなされる。しかし、ディディ＝ユベルマンは、そのような加工を批判しながら、これらのイメージをそのまま見つめて、不明瞭さとともに受け取ることをわれわれに要請する。なぜだろうか。

なぜなら、これらの写真の不明瞭さは、除去すべき無価値なノイズではなく、撮影行為の条件を示しているからである。遺体の焼却作業を写した写真において、重要なのは確かに戸外の光景である。遺体、特務班員、煙が、虐殺の現場を示す証拠となり、情報となる。それらは極めて明瞭とはいえないが、それでも判読可能な可視性を示していて、情報を求める眼差しは、その可視性の領域をクロー

13 本名はアルベルト・エレラと推測されている。クリストフ・コニェ『白い骨片――ナチ収容所囚人の隠し撮り』（宇京賴三訳、白水社、二〇二〇年）の四一一～四一七頁を参照。

14 クロード・ランズマンは、自伝のなかでこの展覧会に言及しながら、この四枚の写真の展示方法を批判的して、名前を挙げずにディディ＝ユベルマンを批判している。クロード・ランズマン『パタゴニアの野兎――ランズマン回想録』下、前掲書、二三三～二三六頁。

15 たとえば、日本で多くの読者を獲得したV・E・フランクルの『夜と霧――ドイツ強制収容所の体験記録』（霜山徳爾訳、みすず書房、一九六一年）にも、ポーランド文化協会提供の資料として、遺体焼却場面の一枚がトリミングされて収められている。

スアップして、不明瞭で不要な情報は除去しようとする。しかし、一見なにも写っていない黒い領域は、無ではない。写真には無は存在しない。その領域は暗闇であり、暗闇にはなにかが存在しているのだ。この暗闇が写っているのは、撮影者がＳＳの監視から逃れて、その暗闇に身を潜めたからである。これらの写真は、その黒い領域なしには成立し得なかったのであり、その領域は、撮影者がどのような条件で、どこから、いかにして撮影したのかを示している。それは、撮影行為を示す痕跡（指標）なのだ。そして、その暗闇はガス室の暗闇なのである。さらに、他の写真、林の女性たちを写した写真は、確かに失敗写真のようだ。カメラを水平にかまえられず、予期せぬ構図で写ってしまった写真であろう。しかしこの構図は、身を隠した撮影者が、通常の状態では撮影できなかったことを示している。つまり、被写体に近づくことも、カメラをかまえて撮影することもできなかったことを示しているのである。彼は、ＳＳの監視から逃れながら、遠くから、おそらくノーファインダーで撮影したのであり、構図の不安定さはその撮影行為の痕跡である。さらに、空と木々しか写っていない写真は、確かに可視的な情報としては使用価値をもたないようにみえる。しかし、おそらく失敗したこの写真もまた、連動する撮影行為において、このような失敗を犯さざるを得なかったことを示しているのだ。つまり、これらの四枚の写真には不必要な要素など存在しない。その不明瞭さは無意味ではなく、写真を成立させた重層的要素を潜在させているのだ。さらに、これらの写真は単数ではなく複数の写真として撮影されたのであり、複数形で示されなければならない。ビルケナウでの虐殺は、イメージなき表象不可能な出来事として、起こらなかった出来事として歴史の暗闇に無化されようとしていた。しかし、抵抗者たちは、協力しながらこれらの写真を盗撮して、その暗闇からごくわずかなイメージの切れ端をこうして残存させることに成功した。確かに、一枚一枚の写真は、その事実の一端をかろうじて示す切れ端にすぎないかもしれない。そしてそれが四枚になろうとも、それぞれの証言能力は限られていて、ショアのすべてを示すことはできない。もちろん、それらの写真は、ガス室での殺害の現場を写し出しているわけでもない。しかし、すべてが無に帰すことに抵抗しながら、それでもすべてを露わにできないそれらの写真は、それでもなお、「すべて」に抗って暗闇から引き剝がされて残されたイメージ、撮影者と協力者の抵抗行為を示すイメージである。そして、その四枚の写真は、連動する撮影行為のなかで実現されたのであり、四枚の写真もまた、切り離された一枚としてではなく、四枚として構成されて、モンタージュされて見つめられなければならないのである。なぜなら、遺体焼却の場面と林で待機する女性たちの間には、ガス室での虐殺という暗闇が潜在しているからだ。一枚の写真は、その暗闇を見せることはできない。四枚の写真も、もちろんそれを可視化することはできない。しかし、四枚の断片的なイメージがモンタージュされることで、それらのイメージが潜在的暗闇の徴候となり、それを想像させることはできるだろう。ディディ＝ユベルマンがここで考察しているのは、そのような不可能な可能性である。[16]

イメージには不要な部分など存在しない。そこには無など存在しない。一見なにも写っていない黒い領域は無ではなく、簡潔な黒い現れであるが、同時に潜在的な意味、撮影行為の条件を巡る重層的な意味の徴候であり、単純だが複雑な徴となっている。ディディ゠ユベルマンは、そのような徴を、初期の理論的な代表作『イメージの前で——美術史の目的への問い』(*Devant l'image, question posée aux fins d'une histoire de l'art*, Minuit, Paris, 1990)において「徴候」あるいは「視覚的なもの」と呼んでいた。ルネサンスの画家フラ・アンジェリコは、サン・マルコ修道院の小部屋(僧房)に何枚もの壁画を描いていた。その一枚である《受胎告知》(一四四〇—一四四一年頃)には、一見なにも描かれていない白い領域がある。それは、具象的な「見えるもの」としては、白壁と白い床である。あるいは、穿った見方をして観念的に解釈すれば、それは「見えないもの」としての神の表れ、「無」である。しかし、ディディ゠ユベルマンは、そこに「見えるもの」でもなく「見えないもの」でもない「視覚的なもの」を見出した。そこには、具象的な白壁でも見えない無でもないもの、白い色の面が現れているのだ。それは「受肉」の徴候である。キリスト教的な受肉は、根本的に矛盾する神秘を示している。つまり、無限なる神性が、有限な肉体をもったイエスとなり、不死なる神性が、磔刑で死を迎える身体に受肉する。受肉はその神秘的な転換であり、驚異的な奇跡である。この絵の主題である受胎告知は、その神秘の成立を告げている。この受肉という出来事は、しかし具象化しがたい。受肉前のマリアの身体や、受肉後の聖母子像なら具象化できるだろう。しかし、奇跡の瞬間である受肉そのものは具象化困難である。だからこそフラ・アンジェリコは、無限なるものが有限な物質に宿る出来事を、光の宿りを思わせる白い色の面として徴候化したのだ。それは、イメージ化しがたいものがイメージ化され、非物質的なものが物質化される出来事を、絵画的に徴候化している。そしてこの簡潔な白い色の面は、受肉を巡る聖書釈義の重層的意味を潜在させているのである。[17]ディディ＝ユベルマンが『イメージ、それでもなお』で写真について行った分析もまた、同様の問いを発展させているのだ。そこでやはり彼は、イメージを見えるものの「すべて」にも、見えないものの「すべて」にも還元しない思考を提示しているのである。

　この本の題名『イメージ、それでもなお（*Images malgré tout*）』は、訳し方を変えれば『すべてに抗うイメージ』となる。つまり、ディディ＝ユベルマンの思想は、すべてか無か、白か黒かという二項対

16　「収容所の記憶」展の監修者であるクレマン・シェルーは、四枚の写真の撮影順序について、まず林の写真が二枚撮影されて、続いてガス室から二枚が撮影されたと推測している。それに対して、ディディ＝ユベルマンは、コンタクトプリントが表裏の逆転したネガから現像されたと推測した。つまり、まずガス室から二枚が撮影されて、それから撮影者が外に出て、林の写真を撮ったのである。この点については、ディディ＝ユベルマン『イメージ、それでもなお』（前掲書）の一五一～一五二頁を参照。しかし、クリストフ・コニェがその後に行った検証によれば、四枚の写真は連続して撮影されたのではなく、まず林の二枚が撮影され、数時間が経過した後、ガス室から写真が撮影されたという。その場合、焼却用の穴で焼かれているのは、林で待機していた女性たちということになる。クリストフ・コニェ『白い骨片』前掲書、三八二頁。

17　ジョルジョ・ディディ＝ユベルマン『イメージの前で――美術史の目的への問い〈増補改訂版〉』（江澤健一郎訳、法政大学出版局、二〇一八年）の第一章を参照。

立的な教義に抵抗しているのである。彼は、「場所、それでもなお」が明白に示していたように、映画『ショア』を称賛していた。彼はそこに、イメージ化されざるショアが、それでもなおイメージ化される可能性を見出していた。しかしその後、ランズマンたちの思想は、ショアの表象不可能性、イメージ化不可能性という映画の制作原理を絶対化する。つまり、ショア全般の表象もイメージも存在してはならず、その「すべて」のイメージは無でなければならないと。だからこそランズマンは、もしガス室で犠牲者たちが死亡する映像が見つかるなら、自分はそれを破棄するだろうとまで語るのである。[18] ジェラール・ヴァジュマンとエリザベス・パニュがディディ＝ユベルマンに向けた批判は、そのように映画後に教義化した表象不可能性の絶対化を示している。あれらの四枚の写真は、稼働中のガス室の写真ではなく、その表象不可能な真実を写し出していない。それゆえ認めがたいということだ。しかし、ショアを表象不可能性として絶対化して、それをイメージなき出来事として神聖視するなら、まさにそれを意図したナチの論理と共犯関係を結ぶ危険が生じるだろう。だからこそディディ＝ユベルマンは、それでもなお想像することを要請する。イメージなき出来事からもぎ取られた四枚のイメージから出発して、その歴史の暗闇から出ながら、それを想像しなければならないのだ。

4.『樹皮』から『暗闇から出ること』へ

『イメージ、それでもなお』を執筆した時点では、ディディ＝ユベルマンはアウシュヴィッツ＝ビルケナウを訪れたことがなかった。既に言及したように、彼の母方の祖父母はそこで命を落としていて、その出来事は、彼の過去に、家族に、暗い影を投げかけていた。しかし彼は、その地を訪れる決意をする。そして、かつての惨劇の場を写真に収める。今、自分の目の前に現れる場所を歩きながら、今のイメージを写真に撮りながら（それはすぐさま過去のイメージになるのだが）、かつてそこで起こった出来事を想像して、今のなかに堆積して潜在する過去を考古学的な眼差しで探査する。そうしてパリに帰った彼は、ビルケナウから持ち帰った三つの樹皮を見つめながら、自分が撮った写真を見つめて旅を回想する。そして、今現れる写真を凝視しながら、かつての収容所から残存したものを、その徴候をそこに見出して、今のなかにかつてを読解していく。そのようにして、彼はその旅についての短いエッセイ『樹皮』を執筆した。

彼が机に並べた三つの樹皮は、樺の木から引き剝がされた表皮の断片にすぎない。それは、ほんのわずかな見える表面である。だが、それでも裏返すと、樹皮は幹と密着していた痕跡を残していて、その過去との絆をかいま見せる。そして、風雪にさらされた表面は、ただの表層にすぎないが、しか

18　クロード・ランズマン「ホロコースト、不可能な表象」高橋哲哉訳、『「ショアー」の衝撃』鵜飼哲＋高橋哲哉編、未來社、一九九五年、一二二頁。

し時の流れに耐えながら時間のしわを刻まれて、そうしてそこで起こった出来事を長い間見つめていたのだ。ディディ＝ユベルマンがアウシュヴィッツ＝ビルケナウで見た光景もまた、樹皮のような現在の表面にほかならない。かつての惨劇は、そこに直接現れることはない。しかし、その場所は過去を堆積させていて、その痕跡をとどめ、その徴候を発していないだろうか。彼の眼差しは、そうして考古学的な探査を開始する。そして彼は、その場所の写真を撮っていた。それらの写真は、見える世界の断片をイメージ化するだけだ。それは四角いフレームに収められた断片であり、全体を見せることはできないし、可視的表面の深層を見せることもできない。それは、樹皮のような薄い表皮にすぎない。しかし、写真もまた樹皮のように、その場所に潜在する過去の徴候となる可能性はないだろうか。たとえ一枚の写真にはそれができずとも、机にならんだ三枚の樹皮のように写真をモンタージュすることで、そして言葉と組み合わせることで、断片的なイメージが、イメージ化できない出来事をイメージ化できないだろうか。「今」の現前のただ中に「かつて」を呼び寄せて、弁証法的イメージを構成することができないだろうか。ディディ＝ユベルマンは、そのような問いを発しているようだ。そうして彼は、パリのアパルトマンで写真を見ながら執筆する。彼が訪れた現在のアウシュヴィッツ＝ビルケナウを思い出しながら、その場所に潜在するかつての出来事を想像する。そうして彼は、それらの重層する時間を渡り歩きながら執筆をする。最後に彼は、そのテクストに自分が撮影した写真を添えて、『樹皮』(*Écorces*, Minuit, Paris) として二〇一一年にミニュイ社から出版した。この本は、原書の裏表紙の紹介文によれば、「写真物語」である。

彼は、ミニュイ社から多くの著書を出版しているが、それらを大きく二種類に分けることができる。まず『イメージの前で』や「歴史の眼」シリーズのような、浩瀚で理論的な書物群である。もう一つの系列は、小ぶりでページ数も少ない書籍群であり、その多くは同時代の芸術家の作品論であり作家論である。『樹皮』もまた、その後者に属する本だが、内容は非常に個人的だ。作品論でも作家論でもなく、自分自身の旅を語る個人的なエッセイであり、同系統の書物は、管見によればそれまで存在していなかった。この一人称による文章を読むと、彼の物語る力を感じざるを得ない。そして、今のなかにかつてを読み取り、それらを衝突させながら弁証法的イメージを生み出すそのエクリチュールに、われわれは引き込まれてしまうのだ。その後、彼は同傾向の写真物語として、二〇二〇年に『散らばったもの』(*Éparses*, Minuit, Paris)を出版している。それは、ワルシャワのユダヤ歴史研究所を訪ねた旅をめぐって、そこに収蔵されたゲットーのアーカイブ(リンゲルブルム・アーカイブ)ついて書かれたエッセイであり、そこにはやはり彼が撮影した写真が併載されていた。また、『樹皮』の後に、『空白の不安』(*Blancs soucis*, Minuit, Paris)という小著を二〇一三年に出版しているが、そこにはエステル・シャレフ＝ゲルツ論「われわれの歴史の空白の不安」が収められている。そこでは、シャレフ＝ゲルツが制作したビデオ作品が論じられていた。その作品とは、アウシュヴィッツからの生存者の証言を撮影した《聴取と言葉の間で、最後の証人、アウシュヴィッツ一九四五－二〇〇五》などである。

そしてディディ＝ユベルマンは、二〇一五年に小さな映画論を出版した。それは、『暗闇から出ること』(*Sortir du noir*, Minuit, Paris) である。「暗闇」と訳した単語「noir」は、色彩としての「黒」も意味しているため、拙訳ではこの二つの訳語を両方とも用いている。また、「出ること」と訳した動詞は、他動詞として「出すこと」も意味している。この本で論じられた主題は、ネメシュ・ラースローが監督したハンガリー映画『サウルの息子』(二〇一五年) である。テクストは書簡体であり、ラースロー監督に宛てた手紙という形式をとっている。この本の趣旨は、アウシュヴィッツ＝ビルケナウを巡るこれまでの議論を発展させたものである。ラースロー監督自身が、ディディ＝ユベルマンの『イメージ、それでもなお』を参照していて、特務班員による盗撮場面を映画のなかで描き出していた。映画の舞台は、アウシュヴィッツ＝ビルケナウの絶滅収容所であり、主人公のサウルは、特務班員としてガス室に関わる作業をしている。この映画はフィクションであるが、しかし、さまざまな歴史的資料の考証に基づいて制作されていて、ドキュメンタリー的フィクションと呼べる作品となっている。そして、映画の舞台であるガス室での虐殺は表象不可能な暗闇だが、しかし『サウルの息子』は、その暗闇の神学を乗り越えようとする。すでに論じたように、ランズマンの映画『ショア』は、ショアという歴史の暗闇を暗闇として尊重して、表象不可能なその中心を直接的に表象することなく、画面に顕在する生存者の証言の彼方に潜在する中心として、あくまでも潜在的に浮かび上がらせていた。そして、この美学的選択は倫理的な選択として教義化して、ショアの表象不可能性を不可侵な教義として掲げるにいたった。それとは正反対の映画的選択として、われわれはスティーヴン・スピルバーグの『シンドラーのリスト』(一九九三年)を挙げることができるだろう。ランズマンが激しく批判したこの映画は、実話に基づくスペクタクル映画である。[19] 主人公のシンドラーはドイツ人の実業家であり、ゲットーや収容所に閉じ込められた多くのユダヤ人を救った。その美談を描き出しながら、スピルバーグは虐殺の光景を映像化していく。つまりこの映画は、『ショア』とは対極的に、歴史の暗闇を可視的なスペクタクルに変えていくのである。それに対して『サウルの息子』は、暗闇でも光でもなく、暗闇から出る閾を提示するのだ。『シンドラーのリスト』は、横長のビスタサイズを用いて、広い視界や俯瞰的な映像をもたらしていた。たとえば、ライフルをもった収容所の所長が高みにある自宅から収容所を俯瞰して、無防備な被収容者を戯れに射殺する場面があるが、この映画は、収容所をそのような可視的なスペクタクルへと変えていく。それに対して、『サウルの息子』では、視界の狭いスタンダード・サイズ(一×一・三三)が用いられていて、視野が限定されていた。そして、浅い被写界深度で撮影されているため、イメージにはピントがぼけた領域が生じる。さらに顔のクロースアップを多用しているため、無表情で感情を読めないサウルの顔にピントが合うと、背景である収容所の状況、たとえばガス室がピンボケになってしまう。このイメージ制作法は方法論的な選択であり、

19　この批判については、クロード・ランズマン「ホロコースト、不可能な表象」(前掲書)を参照。

ショアをスペクタクルとして可視化するのでも、不可視の暗闇として表象しないのでもなく、それでもなおピントのボケた映像としてイメージ化するのである。そして、限定された視界しか許されず、はっきりと対象を見られないこの視覚条件は、被収容者たちが強要された視覚条件にも対応しているだろう。この映画では、そのよく見えないがそれでも見える映像に、画面外の状況などを徴候的に示す音声がモンタージュされて、歴史の暗闇が可視的に明示されるのではなく、暗闇から出ていく状態でイメージ化されていく。こうしてディディ＝ユベルマンにとってこの映画は、一連の論争で焦点となった「イメージ、それでもなお」の映画的実践として評価されるのである。

クロード・ランズマンもまた、『サウルの息子』を高く評価していて、[20]公開時にはジャーナリズムも全般的にこの映画を好意的に迎え入れていた。そしてこの映画は、二〇一五年のカンヌ映画祭でグランプリを、二〇一六年にはゴールデン・グローブ賞の外国語映画賞とアカデミー賞の外国語映画賞を獲得した。しかし、この映画やディディ＝ユベルマンの『暗闇から出ること』に対する批判がないわけではない。たとえば、アラン・フレッシェールは、著書『暗闇に帰ること――映画とショア――それが周りをめぐるとき』(*Retour au noir, Le cinéma et la shoah : Quand ça tourne autour*, Léo Sheer, Paris, 2016) で、『暗闇から出ること』とこの映画をともに批判している。フレッシェールは、ディディ＝ユベルマンが評価した被写界深度の特徴は、ラースローが以前監督した短編映画『わずかな忍耐をもって』(二〇〇七年) でも用いられた方法であり、『サウルの息子』特有の方法ではない、などさまざまな論点で批判を展開していた。フレッシェールの批判は一方的な非難ではなく、説得力をもつものであり、『暗闇に帰ること』は『暗闇から出ること』とともに読まれるべきであろう。ただしわれわれは、ここではディディ＝ユベルマンの思想的営為を評価しておきたい。やはり彼は一貫して、暗闇の神学、無の神学に安住することなく、そこから外に出ながら、同時に暗闇を外へと連れだし、それを形象化して、それでもなおイメージを思考することを要求するのだ。[21]

20　Mathilde Blottière, « Claude Lanzmann : “Le fils de Saul’ est l’anti ‘Liste de Schindler’” », *Télérama*, le 24 mai 2015 を参照。

21　ディディ＝ユベルマンの『イメージ、それでもなお』『樹皮』『暗闇から出ること』については、田中純の『死者たちの都市へ』（青土社、二〇〇四年）の一五五〜一八一頁、『過去に触れる――歴史経験・写真・サスペンス』（羽鳥書店、二〇一六年）の二〇三〜二三五頁、『イメージの記憶《かげ》――危機のしるし』（東京大学出版会、二〇二二年）の一三六〜一五四頁を参照。

訳者あとがき

私はユダヤ人ではない。アウシュヴィッツ＝ビルケナウの収容所で亡くなった親族も、知人も、私にはいない。だから私は、遠くから、無責任にこれらのテクストを翻訳している。少なくとも、ユダヤ人大虐殺という歴史の暗闇に関しては。

この大虐殺は、もちろん前代未聞の、空前絶後の悲劇であり、それを他の出来事と安易に相対化することは許されないだろう。しかし、東洋の片隅で暮らす訳者は、ディディ＝ユベルマンが論じた問題を一般化することなく、それでもなお相対化したいと考えている。

表象不可能性という歴史の難問は、ユダヤ人大虐殺に特権的な、唯一無比な問題であろうか。程度は異なれども、われわれはさまざまな局面で表象不可能性という問題と対峙しなければならないのではないか。

たとえば、一九四五年八月六日午前八時一五分、アメリカ軍は日本の広島市に原子爆弾「リトル・ボーイ」を投下した。一瞬の閃光の下に無数の死者と負傷者、そして長きにわたって被爆症に苦しむ人々を生みだしたこの人為的悲劇は、しかし隠蔽された歴史的暗闇ではなく、公然ともたらされた。

だが、やはりわれわれは、原爆投下時の爆心地の写真を知らない。そこにいた人々は、自分たちになにが起こったのかも理解できずに、一閃の下に死へと放擲された。猛烈な光を放ったその中心は、そうして同時に暗闇となった。しかし、それでも爆心地の周辺で生き残った人々は、被爆者として歴史の証人となり、証言をすることができる。そして爆弾が炸裂した瞬間の写真は存在しないが、それでも当日の広島市を撮影した写真が残されている。ただし、その写真は五枚だけである。松重美人（一九一三－二〇〇五）が撮影したそれらの写真は、その地獄の断片を伝えているが、すべてを伝えることはできない。それはやはり断片にすぎない。しかし、それでもなお、それはその日のその場の記録であり、そこで起こった出来事を提示して、われわれに想像することを、思考することを要求する。[1]

そして広島ばかりではない。この国では、いまでも公文書がひそかに破棄され、統計が書き換えられ、あったことがなかったことにされている。そうして歴史における暗闇が、無として生み出されようとしている。しかし、それでもその暗闇から残るものがあるだろう。われわれはそれを探し、それがほんのわずかな破片にすぎなくとも、そこから想像と思考を開始しなければならない。ディディ＝ユベルマンのテクストは、そのような問いを投げかけている。だから、こうしてわれわれが読み始める彼のテクストは、われわれと無縁な、過去の異国の出来事を語っているのではない。想像力をもって思考し始めるとき、われわれが目の前に見ているものは無縁なものではなくなり、われわれを見つめ、われわれに関わり始めるのである。

最後に、謝辞を記したい。本書で翻訳したディディ＝ユベルマンのテクストを、勤務先の授業において、何年にもわたって繰り返し取り上げることができた。その受講生たちのご協力がなければ、本書の刊行はありえなかっただろう。立教大学と東京都立大学（旧首都大学東京）の受講生にお礼申し上げる。そして、本書の刊行にあたって、月曜社の神林豊氏と小林浩氏、ならびに編集者の阿部晴政氏には大変お世話になった。ご協力にお礼申し上げる。

訳者識

1　松重美人の写真については、『photographers' gallery press』no. 12（photographers' gallery、二〇一四年）の特集「爆心地の写真 1945–1952」を参照。また、田中純『過去に触れる』（前掲書）の二三六〜二六八頁も参照。

ジョルジュ・ディディ＝ユベルマン（Georges Didi-Huberman）
1953年サン＝テティエンヌに生れる。哲学者、美術史家。リヨン大学を経てパリの社会科学高等研究院で博士号取得、1990年からは社会科学高等研究院で教える。著書『ヒステリーの発明――シャルコーとサルペトリエール写真図像集』（みすず書房）、『残存するイメージ――アビ・ヴァールブルクによる美術史と幽霊たちの時間』（人文書院）、『フラ・アンジェリコ――神秘神学と絵画表現』、『ニンファ・モデルナ――包まれて落ちたものについて』、『イメージ、それでもなお――アウシュヴィッツからもぎ取られた四枚の写真』（以上、平凡社）、『イメージの前で――美術史の目的への問い』『時間の前で――美術史とイメージのアナクロニズム』（以上、法政大学出版局）、『イメージが位置をとるとき――歴史の眼1』『受苦の時間の再モンタージュ――歴史の眼2』『アトラス、あるいは不安な悦ばしき知――歴史の眼3』（以上、ありな書房）、『ジャコメッティ――キューブと顔』（パルコ出版）、『ヴィーナスを開く――裸体、夢、残酷』（白水社）などがある。

江澤健一郎（えざわ・けんいちろう）
1967年生まれ。フランス文学専攻。博士（文学）。立教大学兼任講師。著書に『バタイユ――呪われた思想家』（河出書房新社）、『ジョルジュ・バタイユの《不定形》の美学』、『中平卓馬論――来たるべき写真の極限を求めて』（以上、水声社）、訳書にジョルジュ・ディディ＝ユベルマン『イメージの前で――美術史の目的への問い〈増補改訂版〉』（法政大学出版局）、ジョルジュ・バタイユ『内的体験――無神学大全』、『有罪者――無神学大全』、『ドキュマン』（以上、河出文庫）、『マネ』（月曜社）、『聖なる陰謀――アセファル資料集』（共訳、ちくま学芸文庫）、ジル・ドゥルーズ『シネマ2＊時間イメージ』（共訳，法政大学出版局）。

場所《ばしょ》、それでもなお

著者　ジョルジュ・ディディ＝ユベルマン
訳者　江澤健一郎《えざわけんいちろう》

二〇二三年一月三十一日　第一刷発行

発行者　神林豊
発行所　有限会社月曜社
〒一八二－〇〇〇六　東京都調布市西つつじヶ丘四－四七－三
電話〇三－三九三五－〇五一五（営業）〇四二－四八一－二五五七（編集）
ファクス〇四二－四八一－二五六一
http://getsuyosha.jp/

編集　阿部晴政
印刷・製本　モリモト印刷株式会社

ISBN978-4-86503-159-1

アルトー・コレクション全4巻

I

ロデーズからの手紙

宇野邦一・鈴木創士［訳］

アルトーにとっての最大の転機であり、思想史上最大のドラマでもあったキリスト教からの訣別と独自の《身体》論構築への格闘を、狂気の炸裂する詩的な書簡（1943 ～ 46 年）によって伝える絶後の名編。368 頁　本体価格 3,600 円

◉

II

アルトー・ル・モモ

鈴木創士・岡本健［訳］

アルトーの言語破壊の頂点にして「残酷演劇」の実践である詩作品「アルトー・ル・モモ」、後期思想を集約した「アルトー・モモのほんとうの話」、オカルトとの訣別を告げる「アンドレ・ブルトンへの手紙」などの重要テクストを集成。448 頁　本体価格 4,000 円

◉

III

カイエ

荒井潔［訳］

1945 年から 1948 年まで書き継がれた、激烈な思考の生成を刻印した「ノート」から編まれたアルトーの最終地点を示す書。世界を呪いすべてを拒絶しながら、「身体」にいたる生々しくも鮮烈なる言葉による格闘の軌跡。608 頁　本体価格 5,200 円

◉

IV

手先と責苦

管啓次郎・大原宣久［訳］

生前に書物として構想されていた最後の作品にして、日常性をゆるがす「残酷の演劇」の言語による極限への実践。「アルトーのすべての作品のうち、もっとも電撃的であり、彼自身がもっともさらされた作品」（原著編者）と言われるテクスト。464 頁　本体価格 4,500 円